PETR B.

Ottla Kafka

**Das tragische Schicksal der
Lieblingsschwester Franz Kafkas**

tredition

Hamburg 2019

tredition Verlag, Hamburg 2019

978-3-7497-7177-6 (Paperback)
978-3-7497-7178-3 (Hardcover)
978-3-7497-7179-0 (e-Book)

Übersetzung: Werner Imhof
Lektorat: Dr. Thomas Oellermann

Verlag und Druck: tredition GmbH, Halenreie 40-44, 22359 Hamburg

Originalausgabe: Petr Balajka. Ottla.
Prag: Nakladatelství Franze Kafky, 2018
ISBN 978-80-86911-51-9

Dieses Buch erscheint mit finanzieller Unterstützung des Deutsch-Tschechischen Zukunftsfonds

und der Botschaft der Bundesrepublik Deutschland in Prag

Bibliografische Information der Deutschen Nationalbibliothek: Die Deutsche Nationalbibliothek verzeichnet diese Publikation in der Deutschen Nationalbibliografie; detaillierte bibliografische Daten sind im Internet über http://dnb.d-nb.de abrufbar.

Ottla, 1941

Liebste Ottla, wir spielen ja nicht gegeneinander, sondern wir haben ein gemeinsames Spiel und sitzen beisammen, aber eben weil wir einander so nah sind, unterscheiden wir nicht immer, was der andere will, ob stoßen, ob streicheln. Es geht auch wirklich in einander über.

FRANZ KAFKA AN OTTLA, MÄRZ 1919[1]

Du hältst, soweit meine Menschenaugen sehn, Dein Schicksal so selbstherrlich in der Hand, in einer kräftigen, gesunden, jungen Hand, wie man es sich nur irgendwie wünschen kann.

FRANZ KAFKA AN OTTLA, MÄRZ 1919[1]

...Löwyscher Trotz, Empfindlichkeit, Gerechtigkeitsgefühl, Unruhe, und alles das gestützt durch das Bewußtsein Kafka'scher Kraft.

FRANZ KAFKA ÜBER OTTLA,
BRIEF AN DEN VATER, NOVEMBER 1919[1]

Inhalt

Begegnung mit der Tochter

Věra Saudková starb am 3. August 2015. Die Nachricht von ihrem Tod erreichte mich während eines Sommeraufenthaltes in unserem Wochenendhaus durch einen Anruf von Věras Tochter Anna. Erst nachträglich wurde mir die grausame Ironie des Schicksals bewusst. Ausgerechnet am 3. August 1942 wurde Věras Mutter Ottla David ins Ghetto Theresienstadt deportiert. Es ist davon auszugehen, dass Ottla an diesem Tag zum letzten Mal ihre beiden Töchter Věra und Helena sah.

Die Beisetzung Věra Saudkovás im Prager Stadtteil Strašnice sollte zehn Tage später, am 13. August stattfinden. Ich legte mein Mobiltelefon zur Seite und schaute durch das Dachfenster in den azurblauen Himmel. Der Sommer war außergewöhnlich sonnig und warm. Genauso strahlend blau war der Himmel an dem Tag gewesen, an dem ich Věra Saudková im April zum ersten Mal in ihrer Wohnung in der Bílková-Straße besucht hatte. Auch wenn seitdem vier Monate vergangen waren, stand mir dieser Tag vor Augen, als wäre es am Tag zuvor geschehen. Ich konnte mir genau meine Gefühle und Erwartungen in Erinnerung rufen, als ich am Eingang des schönen Hauses stand, unmittelbar nach der Ecke zur Pařížská-Straße, ganz in der Nähe der Altneusynagoge und fünf Minuten zu Fuß von dem Haus U věže, wo Věras Onkel Franz Kafka geboren wurde. Seine jüngste Schwester Ottla war Věras Mutter.

Nicht weit von hier ist der Altstädter Ring, wo die Kafkas ihr Geschäft betrieben und wo die Familie lange gelebt hat. Ich drücke die Klingel des Hauses in der Bílková-Straße Nr. 4, das Hermann Kafka 1918 von dem Geld gekauft hat, das er für den Verkauf seines Geschäfts mit Kurzwaren im Palais Kinský erhalten hatte. Eine halbe

Million österreichischer Kronen zahlte er damals für das Haus, das war für den Verkauf eines Textilgroßhandels eine beträchtliche Summe. Er gab das Haus als zusätzliche Mitgift seinen beiden bereits verheirateten Töchtern Gabriele und Valerie und der zu diesem Zeitpunkt noch ledigen Ottilie, die im Familienkreis Elli, Valli und Ottla genannt wurden. Das schöne neue Gebäude mit großen Fenstern, einem großzügigen Treppenhaus und geräumigen Wohnungen war im weitgehend abgerissenen jüdischen Viertel Josephstadt errichtet worden.

Das Haus in der Bílková-Straße

Die Straße Pařížská, damals nach der nahegelegenen Kirche Mikulášská-Straße genannt, sollte ein prächtiger Prager Boulevard werden, der mit den stattlichsten Avenues in Paris, Wien oder Budapest würde konkurrieren können. In unmittelbarer Nähe standen die gotische Altneusynagoge, die Pinkas- und die Maiselsynagoge sowie die heute nicht mehr vorhandene Zigeunersynagoge, wo der dreizehnjährige Franz Kafka 1896 seine Bar Mitzwa hatte. Nicht weit von hier befindet sich der alte jüdische Friedhof mit dem Grab von Rabbi Löw und weiterer jüdischer Gelehrter, und das jüdische Rathaus, das bei der Zerstörung des Ghettos verschont geblieben ist. Aus den Fenstern der Wohnung bot sich der Blick auf die Moldau und den Letná-Hügel.

Herrmann und Julie Kafka

Hermann Kafka begann als kleiner Hausierer in der Umgebung des heimischen südböhmischen Dorfes Osek, wo er Anstecknadeln, Haarspangen und andere Kurzwaren feilbot. Nun glaubte er, der Kauf dieses Hauses sei eine würdige Krönung seiner lebenslangen harten Arbeit und eine gute Investition in der unruhigen Zeit vor dem nahenden Ende des Krieges. Wichtig war ihm, dass in dem Haus seine drei Töchter mit ihren Familien wohnen könnten. Vieles kam anders, als er es sich gedacht hatte, aber glücklicherweise mussten weder er selbst noch seine Frau Julie das noch erleben. Als der Zweite Weltkrieg ausbrach, lebten in der Bílková-Straße, nun umbenannt in Waldhauser-Straße, von der Familie Kafka nur noch Ottla David mit ihrem Ehemann Josef und den Töchtern Věra und Helena sowie Ottlas ältere Schwester Elli Hermann mit ihrem Mann Karl und ihren Kindern. Die mittlere Schwester Valli lebte zwar nicht mehr mit ihnen unter einem Dach, aber die Wohnung des Ehepaars Pollak in der Vězeňská-Straße war nicht weit entfernt. Im Haus in der Bílková-Straße wohnte auch der eigenbrötlerische Onkel aus Třešť Siegfried Löwy, der Stiefbruder von Julie Kafka, der schon vor fast zwanzig Jahren nach Prag gezogen war und seit dieser Zeit mit den Kafkas zusammenlebte. Zunächst noch am Altstädter Ring, wo er sogar Franz Kafkas ehemaliges Zimmer zur Verfügung hatte, dann in diesem Haus, das ich gerade betrat.

Als im Oktober 1942 ein Bote der jüdischen Gemeinde dem 75-jährigen Arzt Dr. Siegfried Löwy eine Vorladung mit Anweisungen überbrachte, was alles er verpflichtet sei, zu tun, wo er was abgeben müsse, einschließlich der Wohnungsschlüssel, was auszufüllen sei, wann und wo er sich einzufinden habe, mit dem Zusatz, dass selbst Kranke zu erscheinen hätten, denn man gebe ihnen Gelegenheit, sich vor Ort von einem amtlich bestellten Arzt untersuchen zu lassen, und wer dieser amtlichen Anordnung nicht

Folge leiste, werde polizeilich vorgeführt – tat der alte Mann nichts von alledem.

Věra und Helena boten an, ihm beim Packen zu helfen, sie hätten damit schließlich schon Erfahrung, aber er lehnte das ab. Er schrieb sein Testament, und den Schwestern war klar, was nun folgen würde. Sollten sie versuchen, ihm auszureden, was er, wie sie ahnten, beschlossen hatte? Er verließ diese Welt friedlich. Er bat sie, zu einer festgelegten Uhrzeit zu kontrollieren, dass er tot sei. Als sie sein Schlafzimmer betraten, lag er auf seinem Bett, wo er sich eine tödliche Injektion gespritzt hatte.

Ahnte Doktor Löwy, der Mann, den Franz Kafka wegen seiner sanften Stimme liebevoll Zwitscherer genannt hatte, das Plaudermäulchen, ein Mensch, der das Leben liebte, Reisen auf dem Motorrad, was ihn am Ende der erzwungenen Reise erwartet hätte? Fühlte er sich schon zu alt und zu schwach, um zur Deportation anzutreten? Hatte er Angst vor der Unsicherheit, vor unbekannter Umgebung? Jedenfalls war er bei Weitem nicht der einzige Jude, der in dieser Zeit den Freitod wählte.

Zu dem Zeitpunkt, als sich Siegfried Löwy die tödliche Dosis verabreichte, war Ottla bereits in Theresienstadt. Auch ihre beiden Schwestern mit ihren Familien waren bereits auf jene Reise geschickt worden, die ihre letzte sein sollte. Die verwitwete Gabriele (Elli) Hermann war im Oktober 1941 mit ihrer Tochter Hanna, deren Ehemann Arnošt und seinen Eltern Otto und Marie in das Ghetto Litzmannstadt (Łódź) deportiert worden. Ein Paradox des Schicksals ist, dass die Kaufmannswitwe Elli Hermann am 14. März 1939, also einen Tag bevor die deutsche Wehrmacht den verstümmelten Rest der Republik besetzte und Hitler auf der Prager Burg eine Mahlzeit mit Pilsener Bier zu sich nahm, einen Reisepass beantragte. Sie gab dafür gesundheitliche Gründe an. Der Pass wurde tatsächlich am 21. März ausgestellt, allerdings hatte ein

Beamter neben den vorgeschrieben Spalten vermerkt: *jüdischen Glaubens*. Erwog Elli, zu emigrieren? Zur Reise nach Łódź jedenfalls benötigte sie dieses Dokument nicht.

Das Ehepaar Valli und Josef Pollak wurde kurz nach den Herrmanns mit dem vierten Prager Transport aus ihrer Wohnung in der Vězeňská-Straße Nr. 7 nach Łódź deportiert. Ellis Sohn Felix Herrmann gelang es zwar, nach Westen auszureisen, aber nach der Besetzung Belgiens wurde er von den Deutschen in einem Lager interniert, wo er an Typhus starb. Seine persönlichen Dinge einschließlich seiner Wäsche wurden seinen Eltern zwei Tage vor ihrem Antritt zum Transport in die Wohnung in der Bílková-Straße zugestellt. Die bürokratische Konsequenz der Deutschen war überwältigend. Seine Wäsche war gewaschen und offenbar auch gebügelt worden. Die Zustellung mussten sie per Unterschrift bestätigen.

Fast einhundert Jahre, nachdem Hermann Kafka dieses Haus gekauft hatte, lebte nun nach der Restitution hier wieder seine Enkelin Věra Saudková. Ich klingelte, ein Summer ertönte, und ich ging einige Stufen zum Hochparterre hinauf. Ich versuchte, die Rührung, vielleicht auch unnötiges Pathos zu unterdrücken, aber es war unmöglich, sich davon vollkommen freizumachen. Ich stellte mir vor, dass Franz Kafka genau hier gestanden hatte, wenn er seine Eltern oder seine Schwestern besuchte. Er selbst hat in diesem Haus nie gewohnt, obwohl er hier in der Bílková-Straße zeitweise seinen ständigen Wohnsitz hatte.

Hier verkehrten Ottla, ihr Mann Josef, die Töchter Věra und Helena. Und selbstverständlich auch das Ehepaar Kafka und ihr Sohn Franz. Vielleicht fuhr auch damals schon ein Aufzug, der aber sicher anders aussah als der heutige. Der Geruch des Hauses, die Kühle des Treppenhauses müssen genauso gewesen sein – das sind Dinge, die sich mit den Jahren nicht verändern.

Eingang des Hauses in der Bílková-Straße

Ich war im dritten Stockwerk und musste nicht nach
einem Klingelschild an der soliden, massiven Tür suchen,
denn sie war bereits geöffnet, damit ich eintreten konnte.
Věras Wohnung war groß und geräumig, dem bürgerli-

13

chen Niveau der Häuser in der Umgebung der Pařížská-Straße entsprechend, wo nach der Sanierung, genauer gesagt nach dem Abriss des jüdischen Ghettos stattliche Wohnblocks errichtet wurden, den Aufstieg des damaligen – häufig jüdischen – Prager Bürgertums repräsentierend. Endgültig verschwanden enge gotische Gässchen mit verkommenen Häusern, unzähligen Durchgängen und miserablen hygienischen Bedingungen. Nun verkehrten hier nicht mehr eigentümliche jüdische Gestalten in langen schwarzen Kaftanen, Kleinhändler, Gemeindediener der vielen hiesigen Synagogen, Frauen zweifelhaften Rufs, die ihren Lebensunterhalt in örtlichen Freudenhäusern bestritten. In den ersten Jahrzehnten des 20. Jahrhunderts ersetzte eine neue, erfolgreiche Generation von Kaufleuten, Advokaten, Ärzten und Staatsbeamten die armen Juden von Josephstadt.

Die Wohnung überraschte mich. Unbewusst hatte ich eine zeitgenössische Einrichtung mit Museumscharakter erwartet. Solide bürgerliche Möbel, Bilder in Goldrahmen, verblichene Fotografien, eine große Bibliothek. Stattdessen kaum Möbelstücke, nur das Notwendigste. Lediglich Bett, Tisch, Stühle, ein Bad mit Wanne. Als hätte Franz Kafka die Wohnung mit charakteristischer Strenge eingerichtet. Abgetretene, stellenweise lockere Fliesen im Flur, die wackelten, als ich darauf trat.

Věra saß mit ihrer Tochter Anna in der Küche. Nach einer Beinamputation aufgrund von Diabetes war sie schon viele Jahre auf einen Rollstuhl angewiesen. Weil es warm war, trug sie ein leichtes gelbes T-Shirt. Über den Knien eine Decke.

Mit ihren 94 Jahren war Věra Saudková noch immer schön. Bevor ich von ihr Fotos als Erwachsene und dann aus den letzten Jahren fand, kannte ich sie nur von einer Aufnahme, wie sie als Säugling auf dem Schoß ihrer Mutter sitzt. Die Fotografie wurde im Sommer 1921 in einem Atelier in Domažlice gemacht, mithin in dem Jahr, als Věra als Ottlas erste Tochter geboren wurde. Ottla schickte das Foto ihrem Bruder in ein Sanatorium in der Hohen Tatra, wo er zu dieser Zeit einen Kuraufenthalt verbrachte. Auf einer Ansichtskarte vom 8. August antwortete Franz Kafka seiner Schwester:

Věra habe ich sofort erkannt, Dich nur mit Mühe, nur Deinen Stolz habe ich sofort erkannt, meiner wäre noch größer, er gienge gar nicht auf die Karte. Ein offenes, ehrliches Gesicht scheint sie zu haben, und es gibt glaube ich auf der Welt nichts besseres als Offenheit, Ehrlichkeit und Verläßlichkeit.[1]

Franz beurteilte wenigstens einmal jährlich die Eigenschaften seiner geliebtesten Schwester. Er war ein außergewöhnlich guter Beobachter und maß auch den geringsten Details größte Bedeutung zu. Aber was ließ sich denn wirklich aus Věras Kindergesicht ablesen? Zudem wusste niemand besser als Franz, dass Kinder kein Spiegel ihrer Eltern sind, so sehr sich diese das auch wünschen mögen. Aber Věra hat in der Tat die Eigenschaften ihrer Mutter, jedenfalls jene, die Franz Ottla bescheinigte, geerbt.

Ottla trägt mich wirklich auf ihren Flügeln aus der mißlichen Welt...

FRANZ KAFKA AN MAX BROD, 13. 9. 1917[2]

Ottla trägt auf jener Schwarzweiß-Fotografie aus dem Jahr 1921 eine einfache Bluse mit einem hellen Saum am Halsausschnitt und am Rand der kurzen Ärmel. Die Bluse ähnelt ein wenig dem T-Shirt, in dem jetzt Věra in der Küche ihrer Wohnung sitzt. Die alte Fotografie mit ihrer Mutter zeigt sie in einem weißen Kleid, jedenfalls erscheint es mir weiß, und sie hat ein rundes, kindliches Gesicht.

Franz kaufte seiner Nichte für 20 Kronen ein Bilderbuch. Wo es wohl abgeblieben ist? Stellte er sich vor, er würde mit der Kleinen zu Hause Kindertheater spielen, so wie er es mit seinen jüngeren Schwestern getan hatte? Dass sie zusammen turnen, er ihr Schwimmen beibringen würde? Oder ahnte er damals schon, dass ihm dies das Schicksal verwehren sollte?

Auf einem weiteren Foto, zwei Jahre später entstanden, ist Věra mit ihrer Schwester Helena und Fräulein Fini, die in der Familie David als Dienstmädchen angestellt war, zu sehen. Auch dieses Bild schickte Ottla ihrem Bruder. Anfang Januar 1924 antwortete er aus Berlin:

Liebe Ottla, ein schönes Bild, Věra, die alte Unschuld und Unruhe, übrigens Du hast Recht, ich fühlte mich von ihrem Blick gleich wiedererkannt. Ist sie nicht ein wenig schmäler im Gesicht oder ist es das kurze Haar, das diesen Eindruck macht?[1]

Věra trug die Haare ihr ganzes Leben lang kurz geschnitten. Das stand ihr, stets wirkte sie elegant, sportlich, schick.

Noch eine Momentaufnahme ist mir in Erinnerung geblieben. Ottla, ihr Mann Josef David und die schon nahezu erwachsenen Töchter Věra und Helena. Die Aufnahme entstand im Winter in der Hohen Tatra. Alle stehen auf Skiern vor reichlich verschneiten Bäumen. Es dürfte kurz vor 1939 gewesen sein, vielleicht 1937 oder 1938, als noch Frieden herrschte und die Slowakei Teil der ersten Tschechoslowakischen Republik war. Ottla und Věra lächeln zufrieden, Helena schaut eher forschend in die Kamera. Vater Josef David blickt zwar am ernstesten, aber auch er hat einen leicht amüsierten Gesichtsausdruck, auch wenn zu dieser Zeit über Europa bereits dunkle Wolken aufziehen. Hitler ist in Deutschland seit 1933 an der Macht, der Reichstag hat im September 1935 in Nürnberg zwei Rassengesetze angenommen, und zwei Monate später beginnt man die Menschen zu unterteilen in Arier und die übrigen. Věra und Helena wären in Deutschland als „Mischlinge 2. Grades" eingestuft worden, Ottla nach nazistischer Klassifikation als Jüdin. Einstweilen indes sind die Davids zum Skifahren in der Tatra und lächeln.

Immerhin leben sie in der demokratischen Tschechoslowakei, die über eine gut ausgebildete Armee und befestigte Grenzen verfügt und im Geiste Masaryks entschlossen ist, sich zu verteidigen. Auf dem Foto in der Tatra ist augenscheinlich, wie ähnlich Věra und Helena ihrer Mutter sind. Sie haben das gleiche ovale Gesicht, das gleiche Lächeln, und die gleiche Form der Augenbrauen.

Mit zunehmendem Alter nähert sich ihre Physiognomie immer mehr der ihres Vaters Josef David an. Nimmt man die Aufnahme in der Tatra Ende der Dreißigerjahre zum Maßstab, hatten Ottla, ihr Mann und die Töchter nach nazistischer Terminologie ideale arische Züge: klar geschnitten, regelmäßig, lang gestreckte Gesichtsform, schmale, gerade Nase.

Die Momentaufnahme auf Skiern ist interessant. Wir wissen, dass die jungen Mädchen zu dieser Zeit sportlich waren, besonders Věra liebte Bewegung und war dazu von ihrem Vater angeleitet worden, der begeistertes Mitglied des Sokol-Turnverbandes war. Aber die Ski an Ottlas Füßen erstaunen mich, irgendwie scheinen sie nicht zu ihr zu passen, obwohl bekannt ist, dass Franz, der übrigens während eines Kuraufenthalts in der Tatra ebenfalls Ski fuhr, seine Schwestern dazu zwang, halbnackt bei offenem

Ottla mit Ehemann und Töchtern, Hohe Tatra, Ende der Dreißigerjahre

Fenster Turn- und Atemübungen zu machen. Wahrscheinlich waren sie davon nicht begeistert, auch wenn sie angeblich auch dann übten, wenn ihr großer und strenger Bruder nicht dabei war.

Ottla als Kleinkind

... und tatsächlich leben wir ja auch oder lebe ich mit Dir besser als mit irgendjemandem sonst, bis auf zeitweilige Unmöglichkeit den andern anzusehn, welche Menschen besonders wenn sie nicht ganz sich entsprechend leben als etwas Entwürdigendes oder fast Unvermeidliches an sich selbst ertragen müssen.

FRANZ KAFKA AN OTTLA, 4. 3. 1918[1]

Mir wird bewusst, wie wenig ich über Ottla weiß. Ein paar biografische Angaben, zu unzusammenhängend und in keinem Verhältnis stehend zu 51 Jahren ihres Lebens, sind zu wenig, um vor meinen Augen ein plastisches Bild entstehen zu lassen. Aus der Korrespondenz mit ihrem Bruder kennen wir nur die Briefe, die Franz geschrieben hat, nie Ottlas Antworten.

Am 29. Oktober 1892 kam sie als letztes Kind von Hermann und Julie Kafka im Haus *U Tří králů* (Bei den drei Königen) am Beginn der Celetná-Straße in Prag zur Welt. Franz war damals neun Jahre alt. Während Franz Kafkas Leben detailliert beschrieben ist – über ihn erschienen Hunderte von Büchern und Studien, jedes seiner Worte wurde aus jedem erdenklichen Blickwinkel und in allen Zusammenhängen gewendet und erforscht, sein Verhältnis zu den Eltern, namentlich zum Vater, zu den Schwestern, zu Freunden ist bekannt – verliert sich mit dem Augenblick seines Todes nach und nach die Kenntnis vom Leben der Familienmitglieder, die ihm am nächsten standen. Es ist, wie wenn du dich im Bad im Spiegel betrachtest und eine Wanne heißes Wasser einlaufen lässt, aus der Dampf aufsteigt und auf dem Spiegel kondensiert. Allmählich wird dein Abbild immer undeutlicher, verliert die Konturen, die Züge verschwimmen, bis nur noch ein vages Bild des Gesichts bleibt, das seine Einzigartigkeit verloren hat. Das bist immer noch du, aber eigentlich schon nicht mehr.

Wie viele menschliche Schicksale sind so im Laufe der Zeit für immer verschwunden und können nicht rekonstruiert werden, weil es niemanden mehr gibt, der sie kannte und sie in Erinnerung behalten hat?

Ottla ist der eigentliche Grund, warum ich vor vier Monaten ihre Tochter Věra Saudková besucht habe. Ich dachte, sie könne den beschlagenen Spiegel mit dem Bild ihrer Mutter abwischen und jene so wichtigen Konturen wiederherstellen.

Der Holocaust – etwas Unvorstellbares, jenseits von allem, was sich je in der Geschichte ereignet hat. Die Idee der Nationalsozialisten, ein ganzes Volk auf industrielle Weise mechanisch auszurotten, erbarmungslos, ohne Gerichtsverfahren, Mord, flächendeckend, Tod für alle – hat für mich mit aller Entartung (oder gerade ihretwegen) etwas Behexendes.

Ein Kindheitserlebnis: Ich war mit meiner Mutter im „Zverimex", einem Geschäft, in dem damals Wellensittiche, Schildkröten, Hamster, Meerschweinchen verkauft wurden – und Schlangen. Gerade in dem Moment, als wir in eines der Terrarien schauten, warf der Verkäufer für eine große Schlange eine lebendige kleine weiße Maus hinein. Die Schlange näherte sich ihr mit kaum wahrnehmbarer Bewegung. Die Maus mochte instinktiv ahnen, was ihr bevorstand, war aber zu keiner Reaktion fähig. Aber vielleicht erkannte sie die Gefahr im Blick auf die scheinbare Untätigkeit der Schlange nicht? Es war ihre erste Konfrontation mit dem Aggressor, Erfahrungen konnte sie nicht haben, nur ihren Selbsterhaltungstrieb. Aber dieser wird wohl erst ausgelöst, wenn die Gefahr ganz offensichtlich ist. Sie hatte die Chance, vor der langsamen Schlange zu fliehen, aber sie rührte sich nicht. Genau wie die Maus war auch ich erstarrt und konnte den Blick von der nahenden Tragödie, so habe ich die Situation mit meiner Mutter wahrgenommen, nicht abwenden.

Sie musste mich mit Gewalt vom Terrarium wegzerren. Sie wusste sehr gut, dass der Anblick des Todes der Maus bei meiner kindlichen Überempfindlichkeit einen Schock und nächtliche Albträume ausgelöst hätte. Dennoch habe ich ihr das übel genommen. Ich wollte zuschauen, auch wenn mir vor Angst fast das Herz stehenblieb.

Worin liegt die Faszination des Bösen und des Schreckens für den Menschen? Im Gefühl der Befriedigung, nicht selbst einer Situation ausgesetzt zu sein, in der es um Leben und Tod geht? Warum schauen wir uns in der Sicherheit unseres Zuhauses im Fernsehen Thriller und Horror an? Steckt dahinter irgendein uralter Atavismus? Koketterie mit dem Tod?

Ich nutze die letzten Möglichkeiten, mit Überlebenden zu sprechen, zeichne Interviews mit ihnen auf, ohne daran zu denken, ob das jemand lesen wird. Ich fotografiere und zeichne die Schicksale von Menschen auf, die Theresienstadt, Auschwitz und andere Konzentrationslager hinter sich haben, das Leben in Verstecken, Kampf gegen Hitler im Ausland… Begegnungen mit dem materialisierten Bösen.

Ich bin zu einem Sammler der unbegreiflichen und schwer zu verdauenden Geschichte der Schoah geworden. Es macht mir nichts aus, nicht der Erste zu sein, dem sie über ihr Leben erzählen – Experten verschiedenster Institutionen haben dies vor mir getan. Es macht mir auch nichts aus, dass sich die berichteten Ereignisse bei jedem Überlebenden im Lauf der Zeit verändern, in der Erinnerung tauchen andere Details auf, andere geraten in Vergessenheit, mischen sich mit solchen, die sie von denen gehört haben, die wie sie selbst halb tot, durstig und voller Angst in Viehwaggons nach Auschwitz deportiert worden sind. Es stört mich nicht, dass Ereignisse, die sich vor mehr als siebzig Jahren zugetragen haben, sich in der Erinnerung zuweilen etwas von der Realität entfernen mögen. Überlebende rekonstruieren für mich ihre persönliche Geschichte, und sie haben das Recht, ihre späteren Erfahrungen mit einzubringen. Das Leben lässt sich nicht auf ein paar klar definierbare Fakten reduzieren: Geboren am Soundsovielten, studiert, geheiratet, deportiert... Das können nur Anhaltspunkte in einem Lehrbuch der Geschichte sein. Was zwischen ihnen liegt, ist das eigentlich Wichtige, aber es ist subjektiv und unterliegt in der Erinnerung Veränderungen. Wann haben wir Recht? Wenn wir die Wirklichkeit erleben oder wenn wir sie rückblickend bewerten? Was sich im Leben zwischen jenen definierbaren Punkten befindet, kann nur relative Wahrheit sein. Der Morgen ist weiser als der Abend. Oder sind wir in einem Jahr weiser, in zehn, in siebzig Jahren?

Mit der Relativität der Wahrheit muss ich mich abfinden. Ich leide eher darunter, dass Worte das Grauen und die Trauer nicht auszudrücken vermögen, denen die Überlebenden ausgesetzt waren. Verstummen, ein Blick, die Augen voller Tränen – nichts davon ist in Worte zu fassen. Die Schoah ist unbeschreiblich. Diese Unsagbarkeit ist traumatisierend.

Beklemmend sind auch Fotografien. Auf Bildern sind die Familien noch zusammen und glücklich. Es vergeht nur wenig Zeit, und alle sind ermordet. Nur die Aufnahme bleibt. Oft gibt es schon niemanden mehr, der die Toten identifizieren könnte. Was bleibt von einem Gesicht ohne Namen und ohne Lebensgeschichte?

Dieses Schicksal konnte Franz Gott sei Dank aus den Fotografien von Ottla mit den kleinen Mädchen Věra und Helena nicht herauslesen. Ottla blieben noch zwei Jahrzehnte Lebenszeit. Franz nur noch Monate.

Věra Saudková hat jahrzehntelang keine Journalisten empfangen. Diese wollten sie wieder und wieder nach ihrem Onkel befragen. Aber als Franz Kafka im Jahr 1924 an Lungentuberkulose starb, war sie drei Jahre alt. Was hätte sie ihnen Neues verraten können? In einem Interview sagte sie:

Ich kenne alle Bücher von Kafka. Bei der Lektüre tadele ich mich immer dafür, dass mir das wenig sagt und ich dort etwas anderes lese, als Kafka geschrieben hat. Ich sollte ihn doch verstehen, und es ärgert mich, dass es nicht so ist. Ich gebe nicht auf. Meine Tochter hat jetzt begonnen, mir eine Neuübersetzung des Romans „Das Schloss" vorzulesen.[3]

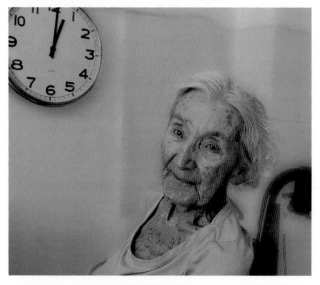

Letztes Foto von Věra Saudková, 2015

Sie hasste das oberflächliche, hysterische Interesse an ihm. Die Fragen einiger Journalisten machten sie krank, erklärte sie. Erst in den letzten Jahren gab sie einige Interviews, die dann in Zeitschriften erschienen. Ich war glücklich, dass sie auch mich empfing. Ich interessiere mich aber wirklich nicht so sehr für Kafka, sondern für sie und für ihre Mutter Ottla. Diese Tatsache hat mir ihre Tür geöffnet. Věra wusste, dass ihre Mutter ebenso viel Aufmerksamkeit verdiente wie Franz.

Wir saßen in ihrer Küche, Věra rauchte eine Zigarette, inhalierte leicht, stieß den Rauch aus und wirkte ruhig und ausgeglichen. Anna bot Mineralwasser und süßen Apfelkuchen an, den sie in einer nahegelegenen Bäckerei gekauft hatte, als sie wie jeden Tag für ihre Mutter das Mittagessen gebracht und zubereitet hatte.

Im Schlafzimmer im Dachgeschoss meines Wochenendhauses schaltete ich meinen Computer ein und fand dort die Aufzeichnung des ersten Interviews mit Věra Saudková im April. Mir wurde bewusst, die Stimme einer Frau zu hören, die schon nicht mehr unter uns ist. Ich war der letzte, dem sie ein Interview gewährt hat.

Ich habe Lampenfieber, lauten ihre ersten aufgezeichneten Worte. Sie sagt: *Sie war sehr fröhlich, aufrichtig, unterhielt sich gern mit anderen, war überall beliebt und machte überhaupt keinen Unterschied, ob sie es mit einer Bettlerin oder mit einer „Frau Rat" zu tun hatte. Sie interessierte sich für alles, besonders Kinder und Tiere. Für meinen Vater, der kein Jude war und im Büro Karriere machen wollte, hatte sie sie ein etwas zu lebhaftes Wesen. Er hätte lieber eine „gnädige Frau" gehabt. Aber das war sie nicht und er musste sich damit abfinden, was ihm nicht leicht fiel. Es war eine schwierige Ehe.*

Mama war so aufrichtig und ehrlich, dass sie sich fast mit jedem verstand. Aber sie hasste es, wenn man sie anlog, auch wenn wir Kinder gelogen haben. Das konnte sie nicht ertragen. Einmal habe ich sie wirklich traurig gemacht. Ich war allein zu Bett gegangen und dann kam sie zu mir, lobte mich dafür und fragte, ob ich mir die Zähne geputzt hätte. Ich sagte Ja. Im Badezimmer stellte Mama

fest, dass die Zahnbürste trocken war. Darüber war sie
sehr unglücklich. Dabei hätte ich es ruhig zugeben kön-
nen, sie bestrafte uns nie, schrie uns nicht an. Alles nahm
sie geduldiger hin als Lügen.[4]

Věras Stimme war mit ihren vierundneunzig Jahren noch
deutlich und klar. Ebenso wie ihr Blick, obwohl das Seh-
vermögen nicht mehr so gut war. Mir fielen ihre schönen
schlanken Hände mit langen Fingern auf. Die Haut ist
straff, die bläulichen Adern heben sich deutlich ab. Auf
dem Foto, das ich gemacht habe, ist in der linken oberen
Ecke eine große Küchenuhr zu sehen. Sie zeigt genau
13:01 Uhr an. Hinter Věra sind ein Herd mit einer Kanne
und graue Fliesen zu sehen. Věra schaut nicht direkt ins
Objektiv, sondern seitlich, wie in die Ferne.

Mama war unglaublich bescheiden und ehrerbietig. Sie
hasste es, wenn jemand Tiere quälte. Sie hatte die Telefon-
nummer eines Tierschutzvereins, und als sie einmal in der
Pařížska-Straße sah, wie ein Kutscher sein Pferd schlug,
das es nicht schaffte, einen Wagen mit Kohlen zu ziehen,
wies sie ihn zunächst zurecht und bat ihn, damit aufzuhö-
ren, aber als er weiter schlug rief sie diese Nummer an.
Sie konnte kein Unrecht mitansehen, dann mischte sie sich
sofort auf ihre temperamentvolle Art ein. Sie war kein
stilles Mädchen, eher ein Wildfang. Sie ist der einzige
Mensch den ich kenne, der eine Drei in Betragen bekom-
men hat. Erstaunlicherweise war mein Großvater, ihr Va-
ter, nicht sehr wütend. Er war zwar sehr streng, aber nur
zu Jungen, an Mädchen stellte er andere Anforderungen.
Mädchen sollten Kinder haben, sie stillen und sich um die
Familie kümmern.[4]

Ich frage, wie das bei Ottla mit dem Glauben war, ob sie
religiös war.

Ich glaube, eher nicht. Das weiß ich von Kafka, der
schreibt, es sei für sie als Kind schwer gewesen, zum

Glauben zu finden, sagt Věra und zieht an der Zigarette, die Anna ihr angezündet hat. *Großvater bezahlte als Geschäftsmann für einen Platz in der Synagoge, aber wirklich glühende Frömmigkeit hat Franz zu Hause nicht erlebt. Bei uns zu Hause war Papa ein frommer Katholik. In die Kirche ist er aber nicht gegangen. Er war Angestellter, Generalsekretär des Verbandes tschechoslowakischer Versicherungen, was für sein Leben eine große Karriere war. Er war als sehr armer Junge aufgewachsen und ich denke, die Ehe war stark dadurch motiviert, dass Mama von ihrem Vater eine anständige Mitgift erhielt. Das war eine Wohnung in diesem Haus. Aber er hatte einen Preis zu zahlen,* sagt Věra und lächelt ein wenig. *Denn die Ehe war dann für ihn nicht vorteilhaft.*

Wenn Gäste zu uns zum Kaffee kamen, wollte mein Vater, dass wir uns als zivilisierte Familie zeigten, aber das gelang nicht ganz. Meine Mutter war so freimütig, jedem Gast anzubieten, sich selbst zu bedienen, und wenn er aufgegessen hatte, füllte sie die Teller wieder. Das gehörte sich für die Klasse, die mein Vater repräsentieren wollte, aber nicht. Nach seiner Vorstellung hätte, wenn wir Gäste hatten, die Dame des Hauses nicht servieren, sondern nach einem Dienstmädchen klingeln sollen... [4]

In den letzten Monaten ihres Lebens besuchte der Prager Oberrabbiner David Peter Věra einige Male. Ich weiß nicht, worüber sie miteinander sprachen, wichtiger ist, dass sie bereit war, ihn zu empfangen. Mir gegenüber erwähnte sie nur, dass er ihr als junger, gut gebauter Mann gefallen hatte.

Ich habe dieses Bild vor Augen. Ende der Zwanzigerjahre des vergangenen Jahrhunderts. Ein großer Raum in der Bílková-Straße. JUDr. Josef David trägt einen schwarzen Anzug und ein weißes Hemd mit sorgfältig gestärktem Kragen, neben ihm sitzen zwei hochrangige Vertreter der Versicherungsgesellschaft, vielleicht sogar ihr Direktor.

Věra und Helena sitzen am anderen Ende des Tisches. Ihre Beine in weißen Strumpfhosen reichen noch nicht ganz bis zum Boden, deshalb wippen sie damit ab und zu auf und nieder. Sie versuchen, ein ernstes Gesicht zu machen, wie es sich der Vater wünscht, aber es fällt ihnen so schwer. Alles kommt ihnen komisch vor, der Ernst, mit dem der Vater die Konversation führt, auch wenn einer der Gäste schelmisch zu ihnen herüberschaut. In einer Papiertüte haben sie einige Schokoladenbonbons bekommen und hätten größte Lust, sich darüber herzumachen, aber vor dem Essen dürfen sie das nicht. Sie flüstern miteinander und schütteln sich dann vor Lachen. Das Dienstmädchen bringt eine dampfende Suppe, Ottla füllt dann zunächst den Gästen, dann ihrem Mann und den Töchtern die Teller. Die Mädchen haben Lätzchen um den Hals, der Vater legt sich eine schneeweiße Serviette über Hemd und Krawatte. Dann kommt der zweite Gang und schließlich gibt es einen marmorierten Napfkuchen, den das Dienstmädchen unter Aufsicht von Ottla gebacken hat. Es ist ein altes Rezept der Kafkas mit der Schale einer Apfelsine und einer Zitrone sowie sechs Eiern, ebenso wie das legendäre Apfelkompott mit weißer Soße. Wenn einer der Gäste aufgegessen hat, steht Ottla auf, schneidet ein neues Stück ab und gibt es ihm.

„Nehmen Sie ruhig noch, wenn es Ihnen schmeckt", sagt sie mit einem Lächeln.

„Sie nehmen sicher auch noch ein Stück", wendet sie sich an den zweiten Gast.

„Aber das war genug", antwortet der Mann zaghaft.

„Ich bitte Sie", lässt sich Ottla nicht abweisen, „genieren Sie sich nicht, Sie sind hier doch wie zu Hause."

Josef David ergreift die Hand seiner Frau und drückt sie fest.

„Setz dich", sagt er distanziert, „das gehört sich nicht."
Ottla ignoriert ihn.

„Kommen Sie", raunt sie verschwörerisch, zwinkert und legt dem Gast ein Stück Kuchen auf den Teller, „Sie werden mir doch keinen Korb geben! Oder schmeckt es Ihnen nicht?"

Josef David steht abrupt auf und geht ans Fenster. Sein Gesicht ist puterrot.

Am Abend hören Věra und Helena aus dem Schlafzimmer der Eltern einen heftigen Streit. Sie ziehen sich die Decken über die Ohren, um nicht zu hören, wie der Vater die Mutter anschreit.

„Mama ist doch so lieb", flüstert Helena verständnislos. „Warum schreit er sie so an?"

„Ich hasse ihn, er wird sie noch umbringen", sagt Věra, obwohl sie weiß, dass sie so nicht vor ihrer jüngeren Schwester sprechen sollte.

Josef David sollte davon zwar nichts erfahren, aber ebenso wie den Besuch ihres Mannes bewirtete Ottla auch Bettler, Arme und Waisen, die sie zu sich nach oben in die Wohnung einlud und ihnen zu essen gab. Wenn der Ehemann unerwartet zu Hause auftauchte, versteckte sie diese hinter dem Kleiderschrank. Später waren unter den Besuchern auch deutsche Juden, die nach Hitlers Machtergreifung in der Hoffnung auf Asyl aus ihrer Heimat in die Tschechoslowakei geflohen waren. Jüdische Organisationen und Einzelne halfen ihnen, aber die Fremdenfeindlichkeit nahm unter den Tschechen zu.

Wir hatten immer ein Dienstmädchen, aber wir Schwestern haben es eher als unsere Freundin wahrgenommen, fährt Věra Saudková fort. Die alten Kafkas hatten das

Kindermädchen Marie Werner, das als junges jüdisches Mädchen als Erzieherin eingestellt wurde.

Kafka nannte sie „Fräulein", und immer wenn er nach Hause schrieb, fügte er hinzu, dass er das Fräulein grüße. Sie liebte ihn, versteckte Konfekt für ihn. Franz war artig zu ihr und hatte sie gern. „Fräulein" Werner blieb bis zu

Valli und Elli mit Familien und Fräulein Werner, 1922

deren Tod bei den Kafkas, sie hat nie geheiratet. Schließlich endete sie in einem Transport, ich habe sie zum Sammelplatz begleitet. Sie hatte furchtbare Angst. Weiteres habe ich nicht von ihr erfahren. Sie war auch schon nicht mehr jung, als sie in den Transport eingereiht wurde.[4]

Ich habe ein Foto aus dem Jahr 1930 von Hermann und Julie Kafka gefunden, falls die angegebene Datierung richtig ist. Sie stehen in einem Park vor blühenden Büschen oder möglicherweise riesigen Dahlien. Vielleicht ist es in den Chotekanlagen, wohin Hermann Kafka sich im Rollstuhl fahren ließ, um auf ausgestreckter Hand Vögel mit gehackten Nüssen zu füttern. Auf dem Bild ist mit dem Ehepaar Kafka eine junge Krankenschwester zu sehen, und rechts am Rand steht Fräulein Werner. Während

30

alle anderen aufgerichtet sind, ist sie leicht vorgebeugt. Sie hat ein freundliches Gesicht und lächelt. Alle sind dunkel gekleidet, der große Hermann Kafka trägt einen Mantel bis über die Knie. Er ist nicht im Rollstuhl, aber in seiner Hand ist ein Stock zu sehen. Sein schmales, längliches Gesicht hat nicht mehr den selbstbewussten Ausdruck, den wir von früheren Portraits kennen. Obwohl es den Blüten nach Sommer sein muss, reicht der Mantel seiner Frau bis zu den Knöcheln, nur Fräulein Werner trägt ein leichtes helles Kleid mit weißem Kragen. Sie ist zwar sechsundvierzig Jahre alt, wirkt auf dem Bild aber bedeutend jünger. Sie hat noch etwas mehr als zehn Jahre zu leben.

Wir hatten immer irgendein Dienstmädchen vom Lande, wiederholt Věra. *Auf dem Land lernte Mama immer Mädchen kennen, die nach Prag wollten, Kochen lernen und eine Liebe finden, also nahm sie sie bei uns auf. Wir haben uns dann mit ihnen angefreundet, gemeinsam Lieder von Voskovec und Werich gesammelt, ein Mädchen hat sogar geweint, als Voskovec heiratete. Sie haben meistens auch geheiratet und sind von uns weggegangen. Sie hatten ihr Zimmerchen dort, wo jetzt das Bad ist.*[4]

Eine Haushälterin zu beschäftigen war zu dieser Zeit kein großer Luxus. Junge Mädchen vom Lande dienten üblicherweise für Kost und Logis, bis sie einen Bräutigam fanden und heirateten.

Ehepaar Kafka

Ottla und Josef

Waren Josef und Ottla David mit ihren beiden Töchtern eine typische Mittelstandsfamilie der Ersten Republik? Wie war Ottlas Leben in der Familie Kafka?

Ihre Schwestern Elli und Valli waren auch bereits verheiratet. Gut verheiratet – mit jüdischen Kaufleuten. *Während unsere Tanten Persianermäntel trugen, hatte Mama nur einen Kunstpelz,*[4] sagte Věra mit leichter Ironie. Sie hätte hinzufügen können, dass ihre Tanten von ihrem Vater, ihrem Großvater Hermann Kafka, eine hohe Mitgift erhalten hatten. Ottla hatte anscheinend nicht einmal eine Perlenkette, die eigentlich zur Pflichtausstattung einer jüdischen Dame gehörte. Aber solche Dinge nahm sie nicht wichtig, auch wenn sie sie sich hätte leisten können.

Die Schwestern Valli, Elli und Ottla, um 1895

Ottla war wirklich anders. Genauso wie Franz hat sie immer ein stark ausgeprägtes soziales Empfinden gezeigt und Verständnis für andere. Im Jahr 1914 ging sie sogar sonntags in ein Blindenheim, las den Bewohnern aus Büchern vor und schenkte ihnen Zigaretten. Barmherzig zu sein ist eine Grundforderung des Judentums, aber bei ihrer Umsetzung in den Alltag pflegte es anders auszusehen. Nicht bei Ottla. Güte ist kein Zeichen von Schwäche. Trotz des Widerstandes ihrer Eltern heiratete sie einen Nichtjuden. Bereits darin kam ihre Sturheit, ihre Energie und die Entschlossenheit zum Ausdruck, ihr Leben selbst in die Hand zu nehmen. Das war einer der Gründe, warum Franz sie so schätzte und ihre Ehe-Entscheidung unterstützte. In ihrer Entschlossenheit und Geradlinigkeit im Handeln war sie das genaue Gegenteil von ihm. Sie wagte es, sich gegen den Vater aufzulehnen und ihren eigenen Weg zu gehen. Aber sie war die Tochter Hermann Kafkas, mit der er nicht so viele Erwartungen verband wie mit Franz, seinem einzigen Sohn. Es genügte, dass sie heiratete und ihm zwei Enkeltöchter zu Welt brachte, und sei es mit einem Goi. Dank der geliebten Enkelinnen fand schließlich auch David Gnade vor ihm.

Als die achtundzwanzigjährige Ottilie Kafka im Juli 1920 Josef David heiratete, geschah dies nach langjähriger Bekanntschaft. Sie lernten sich kennen noch vor dem Großen Krieg, den man später als Ersten Weltkrieg zu bezeichnen begann. Wir kennen die Umstände ihrer Bekanntschaft.

In den Chotekanlagen gesessen. Schönster Ort in Prag. Vögel sangen, das Schloß mit der Galerie, die alten Bäume mit vorjährigem Laub behängt, das Halbdunkel. Später kam Ottla mit D.

FRANZ KAFKA, TAGEBÜCHER, 14. 3. 1915[10]

Nach den Erinnerungen Věra Saudkovás, wenn wir uns auf ihr Gedächtnis verlassen können, lernte ihre Mutter Ottla Josef kennen, als sie achtzehn Jahre alt war. Demnach begegneten sie sich irgendwann im Frühjahr 1910

zufällig in den Chotekanlagen, wo die Schwestern Kafka
spazieren gingen.

Elli, Valli und Ottla

Zu dieser Zeit wohnte die ganze Familie, auch noch mit Franz, in dem heute nicht mehr existierenden Eckmietshaus in der Mikulášská-Straße 36 nahe der Moldau. Zu den Chotekanlagen hatten es die Mädchen nicht sehr weit, es genügte, den Fluss über die Čechův-Brücke zu überqueren und unter der Marienwehrmauer entlangzugehen. Sie konnten auch die Seilbahn benutzen, die dort damals noch existierte. Die Anlagen waren ein beliebter Ort für Familien in Prag. Věra zufolge fiel Josef Franz' jüngste Schwester ins Auge.

„Schau mal", mag Valli mit einem Lachen zu Ottla gesagt haben, „dieser Herr betrachtet dich irgendwie interessiert." „Unsinn", erwiderte Ottla, obwohl auch ihr die Blicke dieses schlanken jungen Mannes nicht entgangen sein konnten, der wann immer sie einander im Park begegneten, schon von Weitem seine Schritte verlangsamte und die Augen nicht von ihr abwenden konnte. „Meinst du nicht?" warf Elli ein. „Er sieht nicht schlecht aus." „Hört auf damit", bat Ottla verlegen, schenkte dem jungen Mann aber umso mehr Aufmerksamkeit. Zweimal trafen sich ihre Blicke. Später gab Josef David zu, dass sie ihn an eine Filmschauspielerin erinnert hatte.

Er kannte fast alle Filmdivas, weil er ihre Auftritte in Stummfilmen am Klavier begleitete. Es schien ihm nicht der geeignete Moment, sie anzusprechen, da sie sich in Begleitung von ihren Schwestern, Kindern und einer Gouvernante befand. „Wenn du dich so unmöglich aufführst, wirst du eine alte Jungfer", flüsterte Valli. „Du bist zwar die Jüngste, erst achtzehn, aber du kannst doch auch jemanden finden und eine Familie gründen wie andere. Du weißt, dass die Eltern darauf warten."

Elli, die Älteste, die gerade ihre Verlobung mit dem feschen Leutnant der Reserve Karl Hermann vorbereitete, lachte und gab zu bedenken, der junge Mann sehe nicht besonders jüdisch aus. „Das dürfte Vati nicht gefallen."

„Ganz bestimmt nicht", grinste Ottla. „Zudem musst erst einmal du heiraten, Elli, dann du, Valli und ich erst zuletzt. Schön der Reihe nach, wie wir auf die Welt gekommen sind. Papa möchte schließlich in allem Ordnung haben. Wer sollte ihm auch im Geschäft helfen? Wer würde sich beeilen, es morgens zu öffnen, bis die Verkäufer eintreffen?"

Ottla strich sich mit der Hand die Haare zurecht, die sie hochgesteckt trug. Sie trug eine weiße Bluse mit einem dezenten Ausschnitt und eine engen, langen Rock. Sie blieb hinter der Gruppe zurück, zog ihren Schuh aus und drehte ihn um, als wäre ein Steinchen hineingekommen. In Romanen lässt eine Dame in dieser Situation ein Taschentuch fallen, aber Ottla hat nichts Passendes dabei. Der junge Mann blieb bei ihr stehen und steckte ihr unauffällig einen Zettel zu. Sie las ihn rasch. Er hatte eine hübsche Schrift und die Bitte um ein Treffen war auf Tschechisch geschrieben. Ottla hatte nichts zum Schreiben in ihrer Handtasche und so zog sie unauffällig eine Sicherheitsnadel aus dem Strumpfband und kratzte Datum und Uhrzeit eines möglichen Treffens auf den Zettel. Der Treffpunkt sollten vermutlich wieder die Chotekanlagen sein, einen anderen Ort zu notieren, wäre zu kompliziert gewesen.

„Wie romantisch", sagte Elli, als Ottla ihr erklärte, was passiert war.

„Ich gehe da sowieso nicht hin", entgegnete Ottla. „Und sagt das bloß nicht zu Hause", drohte sie Elli und Valli.

„Natürlich wirst du hingehen", sagte Elli. „Bis jetzt hast du keinen vernünftigen Mann gefunden, und du willst doch nicht als alte Jungfer enden."

Im Sommer einmal ging ich mit Ottla Wohnung suchen, an die Möglichkeit wirklicher Ruhe glaubte ich nicht mehr,

37

immerhin ging ich suchen. Wir sahen einiges auf der Kleinseite an, immerfort dachte ich, wenn doch in einem der alten Palais irgendwo in einem Bodenwinkel ein stilles Loch wäre, um sich dort endlich in Frieden auszustrecken. Nichts, wir fanden nichts Eigentliches. Zum Spaß fragten wir in dem kleinen Gäßchen nach. Ja, ein Häuschen wäre im November zu vermieten. Ottla, die auch, aber in ihrer Art, Ruhe sucht, verliebte sich in den Gedanken, das Haus zu mieten. Ich in meiner eingeborenen Schwäche riet ab. Daß ich auch dort sein könnte, daran dachte ich kaum. So klein, so schmutzig, so unbewohnbar, mit allen möglichen Mängeln. Sie aber bestand darauf ...

FRANZ KAFKA AN FELICE BAUER
ENDE DEZEMBER 1916 / ANFANG JANUAR 1917[5]

Ottla war um die zwanzig Jahre alt, als sie Josef David kennenlernte. Als der Krieg ausbrach, wurde er eingezogen, um für die österreichisch-ungarische Monarchie zu kämpfen. Věras Bericht zufolge dachten ihre künftigen Eltern die ganze Zeit aneinander und führten eine lebhafte Korrespondenz. Für wenige Kronen mietete sich Ottla 1916 heimlich ein kleines Häuschen im Goldenen Gässchen – damals noch Alchimistengasse – auf dem Prager Burgberg, um sich mit Josef treffen zu können, wenn man ihm Urlaub vom Militärdienst gewährte. Es war auch ihr Asyl, wenn sie es zu Hause nicht aushielt. Sie ließ die Räume streichen und stattete sie bescheiden mit Schilfrohrmöbeln aus. Auch Franz nutzte das Häuschen, wenn er Ruhe zum Schreiben brauchte. Nachts kehrte er dann über die Schlosstreppe nach Hause zurück.

Ottla schrieb an Josef David: *Bis halb sieben war ich allein im Häuschen. Dann kam Franz, ich habe Kohlen aus dem Keller geholt, er leuchtete mir unten. Ich bin eine Weile bei ihm geblieben – ich habe ihn so gern, ein unbe-*

schreibliches Glücksgefühl erfüllte mich. Als er dann die
Tür schloss, musste er den Kopf hinausstrecken und den

Ottlas Haus im Goldenen Gässchen

Himmel betrachten, der mit Sternen über dem Gässchen
das Beste ist, was ein Mensch überhaupt sehen kann.[6]

Mit Pepík, wie Franz Josef David nannte, freundete Kafka
sich an. Als er wollte, dass ein offizieller Brief an seinen
Arbeitgeber, die Arbeiter-Unfallversicherung, sich im
Tschechischen gut anhörte, ließ er ihn von Pepík korrigie-
ren. Allerdings ließen sie dort absichtlich einige kleine
Fehler, damit seine Vorgesetzten nicht bezweifelten, dass
er ihn selbst geschrieben hatte.

1910 heiratete die älteste Schwester Karl Hermann, den
Sohn eines wohlhabenden jüdischen Gutsbesitzers in
Siřem (Zürau). Ein Jahr später kam ihr Sohn Felix auf die
Welt, Großvater Hermanns Liebling, und im nächsten Jahr
die Tochter Gerta. Die mittlere Schwester Valli verlobte

sich im September 1912 und heiratete im Januar des folgenden Jahres Josef Pollak.

Einen geeigneten jüdischen Partner für die Töchter zu finden, und andere kamen eigentlich nicht in Betracht, war zu dieser Zeit nicht einfach. Mädchen aus dem Bürgertum hatten nicht viele Gelegenheiten, jemanden kennenzulernen, zumal sich die Kafka-Schwestern überwiegend zu Hause aufhielten. Elli, wie Franz in einem Brief an Felice Bauer über seine älteste Schwester hämisch schrieb, war faul und hielt sich meistens in der Nähe der Couch auf, auch wenn sich mit ihrer Ehe und der Geburt der Kinder ihr Tagesablauf veränderte. Das Haus verließen sie nur zu den obligatorischen Spaziergängen, vorzugsweise in die Chotekanlagen, und gelegentlich gingen sie in Begleitung ins Theater oder zu Konzerten. Der Vater Hermann Kafka war kein Freund des Theaters, er spielte lieber zu Hause mit seiner Frau oder den Töchtern Karten. Franz hielt sich aus solchen Familienvergnügen heraus.

Beim Kennenlernen spielten zu dieser Zeit jüdische Heiratsvermittler und Heiratsvermittlerinnen eine unersetzliche Rolle. So ein *Schadchen* hatte vor Jahren auch erfolgreich die Ehe zwischen Hermann Kafka und Julie Löwy gestiftet. Zwanzig Jahre später erschienen Schadchen bei Hermann Kafka und schlugen potenzielle Bewerber für seine Töchter vor. Auch Franz beteiligte sich daran, seine Meinung in diesen Dingen war der Familie angeblich wichtig.

Aber Ottla brach einfach mit den Familiengewohnheiten. Sie weigerte sich nicht nur, sich ihren künftigen Mann vermitteln zu lassen, sondern tat einen noch radikaleren Schritt, indem sie eine Beziehung mit einem Katholiken begann, überdies mit einem Tschechen, der sich sogar weigerte, mit Ottlas Eltern Deutsch zu sprechen, wenn er zu Besuch kam. Hermann Kafka und seine Frau Julie

40

konnten zwar Tschechisch, aber Julie beklagte sich dennoch bei Ottla, es sei beschwerlich für sie.

Nach zehnjähriger Bekanntschaft heiratete Ottla Josef David am 15. Juli 1920. Aus Liebe – oder war ihre dickköpfige Sturheit der Grund? Es ist wahrscheinlich, dass Josef ihr erster Freund war. Nirgends taucht in der Korrespondenz mit ihrem Bruder der Name eines anderen Mannes auf. Zudem begann ihre Beziehung, als sie achtzehn Jahre alt war. Wollte Ottla es sich selbst und den Eltern nicht eingestehen, dass Josef keine glückliche Wahl war? Schon vor der Hochzeit hatte sie Zweifel, mit denen sie sich nur dem ihr am nächsten stehenden Menschen anvertrauen konnte – ihrem Bruder. Sie hatte das Gefühl, seine Arbeit, Politik und Hobbys seien ihrem Auserwählten wichtiger als sie. Sie befürchtete, er brauche sie nicht und es gehe ihm ohne sie besser. Keine gute Voraussetzung für eine lebenslange Beziehung. Sie zögerte.

Diese Arbeit und diese Interessen wären kein eigentliches Fernbleiben, wenn Du imstande wärest, sie wenigstens teilweise auf Dich zu beziehn, sie wären dann für Dich geleistet, das Fernsein würde dann im Nahesein förmlich gerechtfertigt, argumentiert Franz Ottla gegenüber drei Monate vor ihrer Eheschließung und weist ihre Zweifel zurück. Er selbst hat zu dieser Zeit eine komplizierte Beziehung zu Felice Bauer und ist sich des Problems bewusst, von dem die Schwester schreibt. Felice *wäre z. B. zweifellos imstande gewesen, sich für die Arbeiterunfallversicherung auf das äußerste, mit Verstand und Herz zu interessieren, ja sie wartete wahrscheinlich ungeduldig auf die Einladung hiezu, auf ein flüchtiges Wort nur.* Das freilich kam von seiner Seite nicht. Sie *suchte einen Weg, aber da war keiner.*[1]

Franz fordert seine Schwester auf, Josef einen Schritt entgegenzukommen. Einen Schritt, zu dem er selbst Felice gegenüber nicht fähig war, obwohl er mit ihr eine vierjäh-

rige intensive Korrespondenz führte, angefüllt mit liebe-
vollen Gefühlen, aber auch mit Zweifeln, Befürchtungen,
Selbstbeschuldigungen und Zögern. Ottla aber meint, bereits mehr als einmal eine solche entgegenkommende
Geste gezeigt zu haben. Gut, der Bruder unterstützt sie in
ihrem Entschluss zu Ehe, aber steht dahinter nicht etwas
Anderes? Erwartet er von ihr, dass sie, die ihm von allen
Geschwistern am nächsten steht, eigentlich auch für ihn
diesen Bund eingeht und ihn so wenigstens zum Teil von
der Last, der Eheschließung befreit? Ottla an seiner Stelle.
Ist das nicht egoistisch von ihm? Den Teufel mit Beelze-
bub austreiben?

Außer ihrem Bruder hat Ottla niemanden, mit dem sie sich
beraten könnte. Ihre Schwestern haben bereits Familien,
Kinder, und sehen in Ottla diejenige, die sich auch in
dieser Hinsicht von den anderen unterscheiden will. In
ihren Augen ist es höchste Zeit für sie, zu heiraten. Für
den alten Hermann Kafka ist das wichtigste Ziel, das eine
Frau anstreben sollte, eine Familie und so viel wie möglich Kinder zu haben. Nur ist Ottlas Auserwählter kein
Jude und auch nicht eine so gute Partie wie Pollak und
Hermann. Sicher, im Jahr 1920 wurde Josef David aus
dem Militärdienst entlassen und bekam eine gute Stellung
als Angestellter, aber sein Einkommen, das für damalige
Verhältnisse anständig war, ist mit dem der Ehemänner
der Schwestern nicht zu vergleichen. Über die Höhe des
Einkommens eines Angestellten wusste Franz das Seine.
Lag nicht der Verdacht nahe, dass David Ottla wegen der
Mitgift heiratete? Er ist zu dieser Zeit finanziell nicht besonders gut abgesichert, was Hermann Kafka als Unglück
ansieht. Zweifellos hat er, wie schon zuvor im Fall der
Verlobten von Elli und Valli, aber auch bei Franz' erster
Verlobter Felice Bauer darauf spezialisierte Agenturen
beauftragt, die finanziellen Verhältnisse ihrer Partner zu
untersuchen. Franz teilt die Meinung seines Vaters nicht –
zumindest vorerst.

Ottla hat dann ihre Entscheidung Josef David zu heiraten, trotz des Widerstandes ihrer Eltern nicht geändert.

In einer jüdischen Familie war das unerhört, sie haben furchtbar gelitten. Für beide Familien war dies eine beispiellose Katastrophe, als David sich dafür entschied, ein Mädchen aus einer jüdischen Familie zu heiraten.[7]

Für Franz war die Entscheidung seiner Schwester ein Beweis ihrer Einzigartigkeit, ihrer Entschlossenheit, und er stand fest zu ihr, denn er hatte ihr auch gesagt, sie sei für eine Heirat gewiss geeigneter, schließe sie auch für ihn, während er wiederum für sie beide ledig bleibe. Um seine Schwester zu unterstützen, schrieb er ihr nach Frýdlant (Friedland), wo sie sich gerade auf eine Rhetorikübung in der Schule vorbereitete:

Vergißt Du nun aber niemals die Verantwortung so schweren Tuns, bleibst Dir bewußt, daß Du so selbstvertrauend aus der Reihe trittst, wie etwa David aus dem Heer und behältst Du trotz dieses Bewußtseins den Glauben an Deine Kraft, die Sache zu irgendeinem guten Ende zu führen dann hast Du – um mit einem schlechten Witz zu enden – mehr getan, als wenn Du 10 Juden geheiratet hättest.

FRANZ KAFKA AN OTTLA, 20. 2. 1919[1]

Nachmittag, Myrte im Knopfloch, halbwegs bei Vernunft trotz gequälten Kopfes (Trennung, Trennung!) das Hochzeitsessen zwischen den guten Schwestern meines Schwagers zuende gebracht. Jetzt bin ich aber fertig.

FRANZ KAFKA AN MILENA JESENSKÁ,
15. 7. 1920[28]

Die Hochzeit fand Mitte Juli 1920 statt. Bald danach kamen Věra und Helena auf die Welt, ein drittes Kind starb. Angeblich behauptete Ottlas Schwiegermutter, das sei

Gottes Strafe dafür, dass er eine Jüdin geheiratet und keinen Sohn bekommen habe.

Die Mädchen wurden getauft, ihre Eltern ließen sie nicht ins jüdische Personenstandsregister eintragen, und mit zwölf Jahren durchliefen sie nicht die traditionelle Bat-Mizwa-Zeremonie in der Synagoge. Im Blick auf die späteren Ereignisse war die Taufe für die David-Schwestern ein Vorteil, aber wer hätte voraussehen können, was im benachbarten Deutschland passieren sollte. Hitler schrieb zwar zu dieser Zeit in Festungshaft in Landsberg, wo er nach dem misslungenen Novemberputsch 1923 inhaftiert war, an seiner Schrift „Mein Kampf" und seine Nationalsozialistische Deutsche Arbeiterpartei war für gewisse Zeit aufgelöst und verboten, aber dem schenkte in der jungen Tschechoslowakei niemand Aufmerksamkeit. In jedem Fall zeugt die Taufe Věras und Helenas davon, wer bei den Davids über die religiöse Orientierung der Kinder entschied. Kam es darüber zu Streitigkeiten zwischen den Eltern? Musste Josef diese Entscheidung kraft seiner Autorität durchsetzen? Man kann nur Vermutungen anstellen.

Zu Hause wurden Weihnachten und alle christlichen Feiertage gefeiert. Věra und Helena spielten an Heiligabend Weihnachtslieder am Klavier, was nicht ohne Wutausbrüche des Vaters abging, wenn ein falscher Ton erklang. Nach Věras Erinnerungen bereitete Ottla zwar in der Küche Karpfen zu, kniete aber nicht mit den anderen vor dem Weihnachtbaum nieder und betete das Vaterunser.

Für Helena war es furchtbar schwer, dass Mama nicht dabei war und überhaupt das Vaterunser zu lernen, ich habe es ihr vorgesagt, weil ich wusste, es würde Ärger geben, weil sie es nicht konnte. Und es gab Ärger.[7]

An jüdischen Feiertagen gingen die Mädchen zu Opa und Oma Kafka, wo sie es sich immer gut schmecken ließen.

Josef David und Ottla unterschieden sich fast in jeder Hinsicht voneinander. Sie stammten aus unterschiedlichen sozialen Verhältnissen. Der ein Jahr ältere Josef David wurde in eine arme Familie geboren und musste sich alles, was er im Leben erreichte, schwer erarbeiten – sei es das Examen in Rechtswissenschaften oder seine berufliche Laufbahn. Sein Vater war Kirchendiener im Veitsdom, und obwohl sie den Namen eines berühmten jüdischen Königs trugen, hatten er und seine Frau Marie Juden nicht gern. Schließlich hatten die Jesus Christus gekreuzigt, das stets wiederholte alte Lied. Aber warum sollten sie dem nicht Glauben schenken?

Ottla war voller Gefühle, emotional, lebhaft, spontan, energisch, Josef distanziert, emotional zurückhaltend, ohne besonderen Sinn für Humor und zudem geizig und schrecklich sparsam. Zugleich fiel es ihm schwer, seine Wutausbrüche zu beherrschen. Nach der Hochzeit musste Ottla über ihre sämtlichen häuslichen Ausgaben Buch führen und diese Aufzeichnungen Josef vorlegen. Einmal hielt er ihr vor, nicht weniger als zweihundert Gramm Emmentaler gekauft zu haben. *Zweihundert Gramm!*

Als Mensch, der aufgrund seiner eigenen Beharrlichkeit aufgestiegen war, mag Josef David die Befürchtung entwickelt haben, eine Position erreicht zu haben, in der er als Fremdkörper wahrgenommen wurde. Nachts quälten ihn Träume, bei einer Prüfung in Mathematik durchzufallen und um das benötigte Stipendium zu kommen. Zu fallen ist schlimmer, als nie nach oben zu gelangen. Um eine privilegierte Position muss man unentwegt kämpfen. Muss man? In diesem Punkt hätte Franz Kafka Josef wohl widersprochen. Aber auch ihn quälten Träume, Prüfungen abzulegen, in denen offenbar wurde, dass er eigentlich nichts konnte.

Ottla und Josef David, um 1920

Gingen für Ottla mit der Ehe und der Elternschaft persönliche Lebensentwürfe in Erfüllung, oder wurde sie lediglich gesellschaftlichen Konventionen und Erwartungen gerecht, wie zuvor bereits ihre beiden älteren Schwestern? Ottla, die sich nach Eigenständigkeit sehnte, überschritt die damaligen Stereotypen eines braven Mädchens aus bürgerlicher Familie, verletzte die Konventionen, zu denen ihre konservativen Eltern sie führen wollten. In gewisser Hinsicht waren ihr Entschluss zur Ehe und die Wahl des Partners ein Bruch damit, wie sie sich zuvor verhalten hatte. Aber wenn sie eine Familie gründen wollte, war dieser Schritt unvermeidlich.

Als sich die fünfundzwanzigjährige Ottla während des Ersten Weltkriegs ab April 1917 in Zürau um das Landgut der Familie ihres Schwagers Karl Herrmann kümmerte, der einberufen wurde, war dies ganz sicher nichts Übliches für eine junge Frau, und für eine Tochter Hermann Kafkas kaum denkbar. Trotzdem setzte sie ihren Willen durch und ging nach Zürau. Vielleicht auch, um nicht im Geschäft ihres Vaters helfen zu müssen. Sie arbeitete in der Hopfenernte, fütterte Ziegen, erntete Kartoffeln und kümmerte sich um Katzen. Sie schrieb ihrem Verlobten Josef Liebesbriefe an die Front in Italien und vervollkommnete seinetwegen ihr Tschechisch...

Ottla (Dritte von links) in Zürau

Franz fuhr im Herbst 1917 zu Ottla nach Zürau, als bei ihm erstmals der Verdacht auf eine Erkrankung an Tuberkulose auftrat, und verbrachte in dem kleinen Dorf bei Blšany (Flöhau) einige Monate. Er litt dort unter dem Bellen von Hunden und dem Piepsen von Mäusen, die ihn in seinem Zimmer störten. Nach seiner Rückkehr schrieb er Ottla am 30. Dezember 1917:

... Zürau; die Verrückte, Verlassen der armen Eltern; was für eine Arbeit ist dort jetzt?; leicht auf dem Land sein, wenn man alles in Hülle und Fülle bekommt; hungern aber sollte sie einmal und wirkliche Sorgen haben u.s.w. Es wurde, um es nicht zu vergessen, auch Gutes (gegen mich Eifersüchtiges) über Dich gesagt: ein Mädel von Eisen udgl. Das alles zielte natürlich indirekt auf mich, stellenweise wurde es geradezu zugestanden, ich hätte ja

47

dieses Abnormale unterstützt oder verschuldet u.s.w.
(worauf ich nicht schlecht oder wenigstens verblüffend
damit geantwortet habe, das Abnormale sei nicht das
schlechteste, denn normal sei z. B. der Weltkrieg) ... [1]

Noch vor Ende des Weltkriegs erwog Olga, die nur drei
Klassen der privaten Bürgerschule von Adele Schembo-
rová besucht hatte, ein Studium an einer Landwirtschaftsschule. Franz beriet sie bei der Wahl der Schule und bot
ihr sogar für den Anfang einen Kredit an: *... ich zahle es*
sehr gern, das Geld hat so wie so immer weniger Wert
und so lege ich es bei Dir an, es wird dann die erste
Hypothek auf Deiner künftigen Wirtschaft sein. [1]

Und tatsächlich absolviert Ottla einen Lehrgang an der
Landwirtschaftsschule in Frýdlant (Friedland) und denkt
darüber nach, welche Stelle sie finden kann. Andererseits
hat sie zu dieser Zeit bereits eine ernsthafte Beziehung zu
Josef David und denkt wohl an eine Ehe. Zugleich zieht
sie in Erwägung, nach Palästina zu gehen, wo sie ihre neu
erworbenen Kenntnisse gut einsetzen könnte. Franz meint,
es sei doch andernorts üblich, dass Arbeitgeber als Gäste
die Abschlussprüfungen besuchten, um sich die Besten
herauszusuchen. Zumindest in dieser Hinsicht habe Palästina den Vorteil, dass es dort nicht nur einfacher sei, als
Magd Beschäftigung zu finden, sondern auch sinnvoller.

Zionismus war damals unter Juden in der Diaspora populär, auch wenn eine tatsächliche *Alija* nach Palästina eher
eine theoretische als eine praktische Erwägung war. Obwohl die Alija ein beliebtes Gesprächsthema war, entschieden sich nur wenige für eine Übersiedlung ins Heilige Land. Erst später, in den Dreißigerjahren nach Hitlers
Machtergreifung, wird der Zionismus für Juden wieder ein
großes Thema. In zionistischen jüdischen Pfadfinderverei-
nen oder während der *Hachschara* bereitet sich die Jugend
sehr aktiv auf die Ausreise nach Palästina vor, lernt Ivrit,

48

Ottla mit Franz, Zürau 1918

Grundlagen der Landwirtschaft oder des Handwerks. Aber auch zu dieser Zeit verwirklicht nur ein Bruchteil von ihnen die Alija.

Es hätte so ausgesehn, wie vor dem Jüngsten Gericht. Es wäre wie jener Augenblick gewesen, da die Sargdeckel schon abgehoben waren, die Toten aber noch stillagen.

FRANZ KAFKA AN MILENA JESENSKÁ,
29. 5. 1920[28]

Ottla traf ihren geliebten Bruder noch in Prag, als Max Brod den Schwerkranken am 17. März 1924 nach Prag zu den Eltern brachte. Franz fuhr dann zur Behandlung, zunächst in das Sanatorium Wiener Wald und dann in die laryngologische Klinik in Wien, wo Kehlkopftuberkulose diagnostiziert wurde. Ottla besucht ihn dort mit dem Onkel Alfred Löwy. Aus dem Wiener Krankenhaus wird er Ende April in das Sanatorium in Kierling bei Klosterneuburg in Niederösterreich verlegt. Im Mai besucht ihn der treue Max Brod. Franz Kafka stirbt am 3. Juni 1924 in diesem Sanatorium. In seinen letzten Stunden sind Robert Klopstock und Dora Diamant, Franz Kafkas letzte Liebe, bei ihm. In einem Zinksarg wird Kafkas Leichnam nach Prag überführt. Am 11. Juni wurde er auf dem Neuen jüdischen Friedhof in Olšaný beigesetzt, etwa einhundert Menschen kamen, um von ihm Abschied zu nehmen. Der Sarg sollte dort im Familiengrab beigesetzt werden, wo bereits seine früh verstorbenen Brüder Georg und Heinrich ihre letzte Ruhestätte gefunden hatten. Kafkas Freund Johannes Urzidil schrieb in seinen Erinnerungen:

Ich ging in dem Trauerzug, der Kafkas Sarg von der Zeremonienhalle zum offenen Grab begleitete; hinter den Eltern und seiner bleichen Freundin, die von Max Brod gestützt wurde, ich ging mit seinen Freunden. Alle waren damals noch jung, die ältesten (Brod, Hugo Bergmann und Oskar Baum) gerade vierzig; Felix Weltsch, Ludwig Winder, Rudolf Fuchs und Friedrich Thieberger (mein Schwager und Kafkas Hebräischlehrer) waren noch in den Dreißigern, ich selbst neunundzwanzig. (...) Als der Sarg ins Grab sank, schrie Dora Diamant verzweifelt und

50

schrill auf, aber ihr Schluchzen, das nur der ermessen konnte, dem es galt, verband sich mit dem verklingenden hebräischen Totengebet, das die Heiligkeit Gottes und die tiefe Hoffnung auf Erlösung verkündete.,,Schreiben als eine Form des Gebets", das war Kafkas Definition des Schriftstellers. Und sein Bekenntnis war auch: ,,Selbst wenn die Erlösung nicht käme, ich möchte ihrer jederzeit würdig sein. Wir warfen eine Handvoll Erde ins Grab. Ich erinnere mich genau an sie. Es war heller, klumpiger Lehm mit Steinsplittern, und fiel mit einem dumpfen Klang auf den Sarg. Dann löste sich die Versammlung auf.[8]

***

Er sah die Welt voller unsichtbarer Dämonen, die den ungeschützten Menschen zerstören und brechen.

NEKROLOG MILENA JESENSKÁ, 6. 6. 1924[29]

In der kleinen Bühne des Deutschen Kammertheaters am Senovážné náměstí (Heuwaagsplatz) wurde am 19. Juni an Kafka erinnert und Abschied von ihm genommen. Der Dichter Hans Demetz, Dramaturg der Prager deutschen Theater, organisierte die Veranstaltung. Abermals durch Johannes Urzidil wissen wir mehr darüber.

Der Saal mit einer Kapazität von etwa fünfhundert Plätzen war voll besetzt, fast ausschließlich von deutschsprachigen Prager Juden. Nicht dass sich Tschechen oder Deutsche nichtjüdischer Herkunft abseits gehalten hätten. Aber nur wenige von ihnen maßen damals dem Namen Kafka Bedeutung bei. Die Eröffnungsworte gehörten Hans Demetz, dann sprach Kafkas engster Freund Max Brod, *über die Zukunft Kafkas, die Epoche Kafkas, die ihn als Kenner des tiefsten menschlichen Wesens erkennen würde, der seine Schwächen und Mängel zeitgemäß zum Ausdruck gebracht habe.*[8]

Im Namen der jungen Autorengeneration trat Johannes Urzidil auf. Abschließend trug der Schauspieler am Deutschen Theater Hans Hellmuth Koch die Friedhofsszene *Ein Traum* und *Eine Kaiserliche Botschaft* vor.

Die Frage, wie ernst Ottla den Zionismus nahm und wie sie ihre Ausbildung an der Landwirtschaftsschule in Friedland bewertete, werden wahrscheinlich nie beantwortet werden können. Bis auf Ausnahmen aus den Reihen ambitionierter Intellektueller, zu denen wir Ottla nicht zählen können, widmeten sich zu dieser Zeit verheiratete Frauen ihres gesellschaftlichen Standes ihren Familien, ihren Kindern. Sie hatten ein Dienstmädchen für die wichtigsten häuslichen Arbeiten, engagierten sich in wohltätigen Organisationen oder waren Mitglieder in Vereinen, in denen sie Zerstreuung suchten. Die Vorstellung, Ottla hätte erwogen, auch nach der Hochzeit auf dem Lande zu arbeiten, ist unrealistisch. Für Josef David wäre dies absolut unannehmbar gewesen. Noch unwahrscheinlicher ist eine Auswanderung nach Palästina, auch wenn sie mit Franz den Gedanken entwickelte, dort ein Restaurant zu eröffnen, in dem er Kellner sein würde. Ganz sicher aber wollte sie etwas Nützliches tun und unabhängig sein, sich dem Einfluss des despotischen Vaters entziehen. Schon länger wollte sie nicht mehr in seinem Geschäft helfen. Sie war voller Energie, machte Pläne für die Zukunft und verfolgte diese hartnäckig. Was bedeutete dann für sie die Eheschließung? Das Ende aller Hoffnungen? Konnte für sie die Aufgabe, eine gute Hausfrau zu werden, eine *Balabusta*, wie man Jiddisch sagt, die Erfüllung sein? Wohin verschwand der Traum, wirklich etwas zu erreichen? Vielleicht liegen gerade hier die Wurzeln für jene Tat, zu der sie sich im Jahr 1943 in Theresienstadt entschloss.

Das ist ein echter Kampf um Leben und Tod, und es ist bedeutungslos, ob der Mensch ihn meistert oder nicht.

FRANZ KAFKA AN MAX BROD, 6. 10. 1917[2]

Věra Saudková saß mir gegenüber und rauchte ihre Zigarette zu Ende. Anna drückte sie sorgfältig im Aschenbecher aus. Ich hatte meinen Apfelkuchen aufgegessen.

Als der Krieg zu Ende war, sagt Věra, *haben Helena und ich uns auf Mamas Rückkehr gefreut. Ich bin zum Wilson-Bahnhof gegangen, um nach ihr Ausschau zu halten, meine Schwester stand hier vor unserem Haus, falls Mama sich verirren und es nicht finden sollte. Wir haben ständig gehofft, dass sie zurückkommt. Das hatte auch unser Vater 1942 gesagt, als sie in den Transport ging.*[4]

Jene, die aus den Lagern zurückkehrten, waren auf den ersten Blick zu erkennen. Es lag nicht nur daran, dass sie abgemagert waren und eingefallene Gesichter hatten, sie bewegten sich irgendwie steif, vorsichtig, die meisten trugen noch die Lumpen, in denen sie befreit worden waren oder die sie in den ersten Tagen der Freiheit erhalten hatten. Auch solche, die noch die gestreifte Sträflingskleidung trugen, waren keine Ausnahmen. Vor allem unterschieden sich die Rückkehrer durch ihre Augen von den anderen. Der Blick der Menschen, die Unvorstellbares gesehen und überlebt hatten, war anders. Die Frauen hatten kurzgeschorene Haare, einige waren noch ganz kahl, und allen war eine fieberhafte Spannung anzumerken. Wer aus der Familie hatte überlebt? Wie ging es jetzt weiter? Wohin gehen? Was würde aus ihnen? Die Freiheit hatte für sie den Beigeschmack der Unsicherheit. Fast niemanden von ihnen erwartete jemand, niemand begrüßte sie wie aus dem Krieg zurückkehrende Soldaten. Dabei war in Prag alles wie zuvor, Straßenbahnen fuhren, die Menschen waren nach der letzten Mode gekleidet, die Geschäfte waren geöffnet, die Häuser standen an ihrem Platz – nur sie kehrten in eine andere Welt zurück. Nach Hause?

Dr. Felix Herškovic

Ich stelle mir Dr. Felix Herškovic vor, der am Wilson-Bahnhof Věra begegnet. Ich muss ihre Welt mit einigen Figuren besiedeln. Aus dem Archiv der Gedenkstätte Theresienstadt, an das ich mich mit der Bitte um Zurverfügungstellung von Zeugnissen über Ottla David wende, erhalte ich eine überraschende Antwort. Keiner der Überlebenden, deren Aussagen dort aufbewahrt werden, erwähnt sie. Man weiß dort nur, was ich auch bereits weiß: Dass sie am 3. August im Ghetto Theresienstadt eingetroffen ist, offenbar im Knabenheim L 417 gearbeitet hat, auch wenn nicht sicher ist, ob es dieses bekannteste Knabenheim war oder ein anderes, dass sie sich ein Jahr später freiwillig als Betreuerin der Kinder aus Białystok gemeldet hat und mit ihnen im Oktober 1943 nach Auschwitz deportiert und dort ermordet wurde. Außer ein paar Dutzend Briefen und Kassibern, die sie ihren Töchtern geschickt hat – nichts. An Ottlas Aufenthalt in Theresienstadt erinnert lediglich eine unauffällige Gedenktafel im heutigen Garten des Ghettomuseums (im „Kinderpark"), wo sich das Knabenheim L 417 befunden hat. Außer an sie wird an zwei weitere Betreuerinnen – Friedl Dicker-Brandeis und Luisa Fischer erinnert, und an alle, die sich im Ghetto Theresienstadt um die Kinder gekümmert haben und von den Nazis ermordet wurden.

Was hat Ottla ein Jahr lang in Theresienstadt gemacht, mit wem hatte sie Kontakt, was hat sie erlebt? Wurden alle, die sie kannten, ermordet oder sind seitdem verstorben? Ist ihr Aufenthalt im Ghetto für immer aus der menschlichen Erinnerung gelöscht? Gibt es niemanden mehr, der das verschwommene Bild im Spiegel klar wischen könnte? Bleibt mir nichts anderes, als ihr letztes Jahr mit meiner Phantasie zu rekonstruieren? Womit beginnen?

Das Kriegsende lag zwar bereits einige Wochen zurück, aber Dr. Herškovic kehrte erst in der zweiten Maihälfte nach Hause nach Prag zurück.

In der Kleinen Festung und im überfüllten Theresienstadt, wohin kurz vor Kriegsende immer mehr halbtote Häftlinge aus aufgelösten Lagern gebracht wurden, war eine Typhus-Epidemie ausgebrochen. Sie war zur Zeit der deutschen Kapitulation noch nicht unter Kontrolle. Obwohl der wahnsinnige deutsche „Führer" bereits in der Hölle schmorte, starben weiter Häftlinge, die Konzentrationslager, Sklavenarbeit und Todesmärsche überlebt hatten – aber jetzt, wo alles vorbei war, erlagen ihre durch Unterernährung geschwächten Organismen der Seuche.

Als Arzt blieb Herškovic in Theresienstadt, um gemeinsam mit russischen Kollegen und rasch aus Prag herbeigeholten Schülern von Krankenpflegeschulen zu helfen, die Flecktyphus-Epidemie und die Skabies in den Griff zu bekommen. Sie waren nun im Abklingen und es waren genügend zivile Sanitäter in das ehemalige Ghetto gekommen, und so konnten jene, die selbst Häftlinge gewesen waren, endlich nach Hause zurückkehren. Nach Hause...

Während der ganzen Kriegszeit hatte der Doktor einen Vorteil. Auch mit fünfundfünfzig Jahren war er noch Junggeselle. Er hatte weniger zu verlieren als andere. Seine Eltern hatte er schon vor längerer Zeit auf dem Neuen jüdischen Friedhof beerdigen müssen, und von der Verwandtschaft gab es nur noch seinen Bruder Max und dessen Kinder. Felix Herškovic hoffte, dass sie überlebt hatten. Immerhin waren sie zusammen fünf, mit einer gewissen Wahrscheinlichkeit bestand also eine Chance. Genauso wie Věra ging er nach seiner Rückkehr nach Prag zum Repatriierungsamt, zur Jüdischen Gemeinde und zum Roten Kreuz, um herauszufinden, ob etwas über die Herškovics bekannt war. Als er die Namen in keiner der Listen fand, die sich ständig änderten und ergänzt wurden, begab er sich zum Bahnhof, wo ständig Züge mit Heimkehrern eintrafen. Dutzende harrten dort wie er aus. Es wäre natürlich ein riesiger Zufall gewesen, wenn die von ihm Vermissten ausgerechnet an diesem Bahnhof eingetroffen wären, denn die Repatriierten kehrten mit allen verfügbaren Verkehrsmitteln aus den Konzentrations- und Arbeitslagern zurück: Mit Autobussen, Lastwagen, PKWs oder Fuhrwerken und wurden an den verschiedensten Orten in Prag abgesetzt. Aber hier am Bahnhof waren Menschen, die seine Verwandten getroffen haben könnten. Und in jedem Fall war es besser, aktiv etwas zu tun als zu Hause zu sitzen und die Tür anzustarren, in der Hoffnung, es möge klingeln.

Als Felix aus Theresienstadt nach Prag kam, war seine gemütliche Drei-Zimmer-Wohnung in Vinohrady von einer tschechischen Familie bewohnt, die dorthin gezogen war, unmittelbar nachdem Deutsche aus ihr geflüchtet waren. Diese hatten sich vor drei Jahren sofort nach Herškovics Transport ins Lager eingenistet, übrigens war diese Wohnung der Grund für seine frühzeitige Deportation. Durch den Flur sah Felix seine Möbel, seine Bücher, seinen kostbaren Perserteppich, aber nun waren dort schon seine ehemaligen Nachbarn mit zahlreichen Verwandten und Kindern einquartiert. In den Augen der Erwachsenen sah er die Überraschung, dass er es überhaupt wagte, zurückzukehren. Er fand nicht den Mut, sie aufzufordern, die Wohnung zu verlassen. Eigentlich war diese Situation nicht überraschend. Als er sich unmittelbar nach seiner Ankunft in Prag zur Jüdischen Gemeinde begab, um sich ein Dokument ausstellen zu lassen, dass er überhaupt existierte, warnte man ihn dort vor dem, was ihm bevorstehen könnte. Dass er nicht in seine eigene Wohnung könnte, dass er Dinge, die er vor der Deportation bei seinen engsten Freunden und Bekannten versteckt hatte, vielleicht nicht zurückbekäme, dass man ihn spüren lassen würde, wie unerwünscht seine Rückkehr war. Auch wurde er taktvoll darauf vorbereitet, dass ein bedeutender Teil der ihm nahestehenden Menschen ums Leben gekommen sein könnte, aber er solle die Hoffnung nicht verlieren, denn aus ganz Europa kehrten ständig Menschen zurück, die Liste der Überlebenden sei bei Weitem nicht vollständig. Er hatte erwidert, dass die Hoffnung tatsächlich zuletzt sterbe.

Felix hatte nichts von seinen Sachen bei jemandem versteckt, er hing nicht an Dingen. Auch wusste er, dass die Mehrzahl der Juden ermordet worden war, aber er ließ den Gedanken nicht zu, er könnte der einzige überlebende Herškovic sein. Irgendwo musste er aber wohnen und in seiner alten Wohnung war das nicht möglich. Aus Vinohrady (Weinberge) ging er in die Legerová-Straße, wo bis zum Krieg Max mit seiner Familie gelebt hatte. Niemand öffnete ihm, aber er erfuhr von Nachbarn, dass sich dort irgendein Funktionär des Nationalausschusses einquartiert hatte. Wie er selbst wussten die Nachbarn nichts über Max, seine Frau und die drei Kinder. Schließlich fand Felix Unterkunft bei einem Vorkriegskollegen, der auch ein alter Junggeselle war. Wenigstens hatte er einen Platz zum Schlafen.

An den Bahnsteigen herrschte ein unvorstellbares Chaos, an der Grenze zur Hysterie. Aufschreie mischten sich mit Weinen, Freude ging Hand in Hand mit Enttäuschung und Verzweiflung. Herškovic erhielt widersprüchliche Informationen. Einem zufolge war sein Bruder zwar auf die Knochen abgemagert, aber lebend auf einem Todesmarsch gesehen worden, andere wollten wissen, dass er schon lange nicht mehr lebte und in der Gaskammer ermordet worden war.

Schon einige Minuten beobachtete er eine schlanke junge Frau mit einer Tasche, die wie er selbst die aus den Zügen Steigenden anhielt, ihnen ein Foto zeigte und sie befragte. Er kannte sie zwar nicht, aber dennoch waren ihm einige ihrer Züge vertraut. Sie sah nicht so aus, als sei sie aus einem Konzentrationslager zurückgekehrt, ihre Haut war frisch und sie hatte auch nicht den lauernden Blick. Ihre Haare waren zwar, wie bei Frauen aus den Lagern, kurz geschnitten, aber es genügte, sich in Prag umzusehen, um zu erkennen, dass dies der aktuellen Mode entsprach und man aus der Frisur keine weiteren Schlüsse ziehen konnte.

Im Gesicht der Frau war etwas Besonderes, das ihn fessete. Er drängelte sich durch die Menschen, die dem Ausgang entgegenstrebten, aber er wollte ihre Aufmerksamkeit nicht auf sich lenken, solange er nicht mehr über sie herausfand. Jetzt, aus einer Entfernung von zwei, drei Metern, sah er auch das Bild, das sie in der linken Hand hielt. Er hörte, wie sie eine Frau bat, sich das Foto anzuschauen.

„Seien Sie so nett, gnädige Frau... Haben Sie sie vielleicht gesehen?" Die Frau blieb tatsächlich stehen, entweder wollte sie dem jungen Mädchen wirklich helfen, oder sie hatte sich in den letzten Jahren daran gewöhnt, zu gehorchen.

„Zeigen Sie mal, Fräulein."

Die junge Frau korrigierte, sie sei kein Fräulein mehr, sondern eine Frau.

„Wo war sie?" fragte die Frau, während sie das Foto dicht vor ihre kurzsichtigen Augen hielt.

„In Theresienstadt, ab 1942. Dann ist sie weiter gefahren..."

„Ist sie jemand aus Ihrer Verwandtschaft?"

„Meine Mutter", antwortete die junge Frau.

Die Frau seufzte tief. Wenn sie in einen Transport in den Osten gegangen ist, machen Sie sich nicht viel Hoffnung."

„Sie schrieb mir von der Schweiz oder Schweden", sagte sie, ohne zu merken, wie unglaublich das klingen musste. Tatsächlich schüttelte die ältere Frau den Kopf.

„Da müssen Sie sich irren – aus Theresienstadt während des Krieges in die Schweiz oder nach Schweden? Solche Märchen gab es nicht."

„Ich kenne den Brief auswendig. Meine Mutter schrieb darin..."

„Fragen Sie lieber jemand anderes", beendete die Frau mit einem Seufzer das Gespräch und reichte der anderen die Hand. Herškovic war davon überzeugt, dass sie sie für eine Geisteskranke hielt. Unter ihnen waren damals so viele Menschen, die sich so lange an irgendwelche unrealistische Ideen klammerten, bis sie sie glaubten...

Auch Felix erschien das in diesem Moment absurd. In den folgenden Augenblicken aber erkannte er, dass der Brief aus dem Oktober 1943 kein Produkt einer kranken Phantasie war. In ihm stand:

Meine lieben kleinen Mädchen. Es ist ein Uhr nachts, und das, was ich erzähle, wird euch wie ein Traum vorkommen. Aber es ist eine Tatsache, die uns allen sehr gefällt, und ich hoffe, ihr werdet darüber wenigstens nicht traurig sein. Morgen früh fahre ich mit Kindern weg, aber nicht nach Polen, wahrscheinlich in die Schweiz oder nach Schweden. Hier herrscht beste Laune, niemand ist schlafen gegangen, wir haben gepackt, vielleicht fahren wir durch Prag. Ich werde aber nicht traurig sein, uns stehen schöne Tage bevor. Der Wind hat mir eure schönen Küsse zugetragen und ich hoffe, ich werde euch schreiben können. Lebt wohl, meine Schätzchen, ihr seht, was eure Mama für eine Karriere macht. (...) Ich drücke euch an mich, meine kleinen Mädchen, ich denke, dieser Ausflug wird nicht lange dauern und wir werden uns sehr bald sehen. Noch viele Küsse, eure O.[9]

Unterdessen sprach die junge Frau einen Mann an und zeigte ihm das Foto.

„Sie sagen, sie kehren aus Theresienstadt zurück, also müssen Sie sie doch gekannt haben. Kennen Sie das Gesicht? Ja, das ist meine Mutter, Ottla David. Sagen Sie doch um Himmels Willen endlich etwas!" Der ältere Mann mit grauer Haut und mehrere Tage alten Bartstoppeln schaute sich das Bild noch einmal an.

„Ottla… Die hatte sich doch in Theresienstadt um die Kinder gekümmert. War sie nicht die Schwester von Franz Kafka?"

Doktor Herškovic hörte alles deutlich. Plötzlich war ihm alles klarer. Die gleichen Gesichtszüge, eine ähnliche Stimme…

„Warum reden Sie in der Vergangenheitsform?" sagte sie betroffen. „Was wissen Sie von ihr?"

„Sind Sie ihre Tochter?"

„Das bin ich. Lebt sie?"

„Ich weiß es nicht", erwiderte der Mann, „seien Sie froh, dass Sie leben, dass Sie zurückgekehrt sind…"

„Ich? Meine Schwester und mich haben sie zurückgelassen. Wir waren für sie Mischlinge."

Dieser Mann war möglicherweise nicht so alt, wie er erschien. Jetzt murmelte er nur entschuldigend etwas und ging mit ein paar zu einem Bündel geschnürten Sachen langsam zum Ausgang. Felix Herškovic trat zu der jungen Frau und nahm ihre Hand, in der sie das Bild ihrer Mutter hielt. „Zeigen Sie es mir, bitte", flüsterte er eher, als es zu sagen. Sie sah ihn voll unverhohlener Hoffnung an, auch wenn er in einem sauberen und gebügelten Anzug nicht an jemanden erinnerte, der gerade aus einem Lager zurückgekehrt war.

Ja, das war Ottla, daran bestand nicht der geringste Zweifel. Auch wenn das Porträt vor wenigstens drei Jahren aufgenommen worden sein musste, sah sie genauso aus, wie er sich an sie aus Theresienstadt erinnerte. Das ovale Gesicht mit symmetrischen Zügen, das Güte und Gelassenheit ausstrahlte. Und die Augen – ihre Augen waren so tief und geheimnisvoll wie die ihres Bruders Franz Kafka.

„Sie müssen Věra oder Helena sein", sagte er.

Der Boden bebte unter Věras Füßen. „Ich bin Věra; Helena passt bei unserem Haus auf, falls Mama die genaue Adresse vergessen haben sollte."

Er hielt inne und schluckte vergeblich. Sein Hals war staubtrocken.

„Ich habe sie zuletzt vor zwei Jahren gesehen. Also haben auch Sie keinerlei Nachricht."

Sie sagte: „Seit diesem Brief, wo sie schreibt, dass sie in die Schweiz oder nach Schweden fährt, haben wir nichts mehr erhalten."

„Also seit Oktober 1943? Zeigen Sie mir diesen Brief." Er begann, ihn halblaut zu lesen.

„Morgen früh fahre ich mit Kindern weg, aber nicht nach Polen..."

Ja, das wurde gesagt. Durch Theresienstadt geisterten so viele „verbürgte" Nachrichten – Bonkes. Schmerzliche Erinnerungen traten ihm vor Augen.

61

„Also sehen Sie", sagte Věra und steckte den Brief sorgfältig in den Umschlag. „Sie wird doch nicht ewig dort bleiben, schließlich hat sie hier ihre Familie. Sie hat sich so auf uns gefreut."

Ich werde euch große Schmerzen bereiten, weil ich euch furchtbar verletzen muss. Und das wird schon sehr bald sein.

„Haben Sie Schuhe und Kleidung für Sie in der Tasche?" fragte er, um überhaupt etwas zu sagen.

Věra lächelte. „Als ich hier am Bahnhof gesehen habe, in was für schrecklichen Lumpen die Menschen zurückkehren, habe ich mir gesagt… Obwohl – Schweden oder der Schweiz… Aber was kann man schon wissen? Vor allem habe ich Angst, dass Mutter krank ist oder irgendwo herumirrt und uns nicht finden kann. Nach all dem, was sie erleben musste."

Herškovic sagte, man müsse hoffen, dass alles gut ausgeht. Er sei wie sie auf der Suche: nach seinem Bruder, der Schwägerin und drei Neffen. Schließlich stellte er sich vor.

„Felix Herškovic."

„Felix", erinnerte sie sich. „Mama hat von Ihnen als einem guten Freund geschrieben."

„Das war ich wohl", murmelte er eher zu sich selbst.

Vielleicht hat Věra ihn gefragt, ob er nach der Rückkehr aus Theresienstadt schon eine Unterkunft gefunden habe und ihm ihre Wohnung in der Korunní-Straße angeboten, obwohl dort schon einige aus Konzentrationslagern zurückgekehrte Mädchen übernachteten und der Schriftsteller Jiří Weil, dem sie in den letzten Kriegswochen bei sich ein Versteck gegeben hatten.

Es fällt mir nicht schwer, mir Doktor Herškovic vorzustellen. Mit Ottla ist es nicht so einfach, auch nicht mit
Věra, obwohl ich sie sechzig Jahre nach den Ereignissen
am Bahnhof einige Stunden lang interviewt habe. An
einige Dinge erinnerte sie sich nach so vielen Jahren nicht
mehr, eine Reihe von Fragen stellte ich nicht – weil sie
mir nicht einfielen oder weil ich nicht den Mut dazu
aufbrachte. Nun ist es zu spät. Sie lebt nicht mehr. In ein
paar Tagen finden die Trauerfeierlichkeiten statt.

*Die ganzen Nachmittage bin ich jetzt auf den Gassen und
bade im Judenhaß. „Prašivé plemeno" (räudige Rasse)
habe ich jetzt einmal die Juden nennen hören. Ist es nicht
das Selbstverständliche, daß man von dort weggeht, wo
man so gehaßt wird (Zionismus oder Volksgefühl ist dafür
gar nicht nötig)? Das Heldentum, das darin besteht doch
zu bleiben, ist jenes der Schaben, die auch nicht aus dem
Badezimmer auszurotten sind.*

FRANZ KAFKA AN MILENA JESENSKÁ,
MITTE NOVEMBER 1920[28]

Umso deutlicher steht mir Felix vor Augen. Ottla hat in
Theresienstadt viele Menschen kennengelernt und erwähnt
das in ihren heimlichen Briefen und Kassibern, die sie auf
verschiedenste Weise ihren beiden Töchtern zukommen
ließ. Der für Ottla wichtigste Mann in Theresienstadt wird
für mich also der Arzt Felix Herškovic sein. Er ist um
zwei oder drei Jahre älter als Ottla, als sie sich 1942 im
Ghetto kennenlernen, demnach zwei- oder dreiundfünfzig
Jahre alt. Im Oktober dieses Jahres feierte Ottla ihren
fünfzigsten Geburtstag. Feierte? Sie ist zu diesem Zeitpunkt kaum zwei Monate im Ghetto, schlimmere Monate
hat sie noch nie erlebt. Felix Herškovic tritt etwas später
in ihr Leben.

Nach dem Tod der Eltern hat Herškovic nur noch seinen
Zwillingsbruder Max mit seiner Familie. Die Brüder Max

und Felix. Es mangelte den Eltern nicht an originellem Sinn für Humor, als sie ihren acht Tage alten Söhnen bei der Beschneidungsfeier „Brit Mila" diese beiden Namen mit *x* (Scherensymbol) gaben. An der Feier in der Synagoge von Vinohrady, wo das Ehepaar Herškovic teure Plätze in der ersten Reihe bezahlte, nahmen Hunderte von Bekannten teil. Der Mohel führte den kleinen chirurgischen Eingriff ohne Komplikationen durch, die kleinen Jungen waren etwas benommen von dem Tropfen Wein, der ihnen über ein Stück Stoff verabreicht worden war, und schluchzten kaum. Es folgte der Kiddusch mit Wein und Imbiss. Man schrieb das Jahr 1889, vielleicht 1890. Die Herškovics waren wie die meisten Prager Juden nicht besonders religiös, besuchten die Synagoge nur an hohen Feiertagen, Pessach oder zum Laubhüttenfest, einige Bräuche waren schließlich einzuhalten. Max und Felix. Die Eigentümlichkeit ihrer Namen trat nur in den Vordergrund, wenn sie gemeinsam ausgesprochen wurden. Felix hatte Max indes seit 1942 nicht mehr gesehen. Max erhielt noch vor ihm die Vorladung zum Transport. Wenigstens konnte er Max, seine Frau Liza und die drei Kinder zum Sammelplatz in Holešovice begleiten und ihnen mit dem Gepäck helfen. Das war ihre letzte Begegnung. Als Felix ein paar Monate später im August nach Theresienstadt kam, war dort schon niemand mehr von der Familie seines Bruders. Sie hatten ihre Reise fortgesetzt. Man sagte, nach Osten, und das bedeutete in der Sprache von Theresienstadt nichts Gutes, auch wenn niemand genau wusste, was das tatsächlich zur Folge hatte.

Doktor Felix Herškovic war Internist mit einer Praxis im Prager Stadtteil Vinohrady. Er hatte als ausgezeichneter Diagnostiker einen hervorragenden Ruf und eine zahlreiche Klientel. Noch vor der Errichtung des Protektorats erließ die tschechoslowakische Regierung am 9. Oktober 1938 ein Dekret mit dem Ziel, *den Zustrom deutscher und jüdischer Elemente aus dem besetzten Gebiet zu begren-*

zen. Dem Prager Arzt Dr. Herškovic fügte dies noch keinen Schaden zu, aber schon am ersten Tag nach der deutschen Besetzung wurden vom Zentralkomitee der tschechischen Ärzteschaft alle nichtarischen Mitglieder ausgeschlossen.

Die Bemühungen der Ärztekammer und anderer Berufsverbände aus dem Oktober des vorangegangenen Jahres gipfelten in dem Bestreben, die Zahl von Juden in den freien Berufen zu beschränken und sie letztlich vollständig aus diesen Berufen auszuschließen. Die Kammern argumentierten scheinheilig, Juden *seien in den freien Berufen überproportional vertreten und es gelte, durch geeignete Maßnahmen ihre Zahl in den genannten freien Berufen sofort auf den Prozentsatz zu beschränken, der ihrem Anteil an der Gesamtbevölkerung entspreche.* Es betraf auch Rechtsanwälte, Notare und Ingenieure. Kein arischer Vertreter dieser Berufe trat für seine nichtarischen Kollegen ein, niemand protestierte. Alle waren froh, sich zahlreicher Konkurrenz zu entledigen. Ärzte, Juristen…

Herškovic kümmerte sich in Theresienstadt um erwachsene und freiwillig auch um die kleinen Patienten in den Kinderheimen. Im Heim L 417 lernte er Ottla kennen. Einmal, als er ihr von sich erzählte, sagte er, er sollte Hitler dankbar sein dafür, dass er es ihm ermögliche, in Theresienstadt den Arztberuf auszuüben. Ihm, der mit Auszeichnung an der deutschen Universität in Prag promoviert hatte, bei ihm ließen sich Honoratioren behandeln. Auch hier hat er seine Praxis und heilt. In Prag durfte er das als Jude schon nicht mehr. „Haben Sie denn vergessen", fügte er sarkastisch hinzu, „dass uns die Tschechen verboten haben, dem humansten aller Berufe nachzugehen? Was blieb mir übrig? Ich gehorchte, schraubte das Schild mit der Aufschrift *MUDr. Felix Herškovic, Internist* ab und hängte mein Gewerbe an den Nagel. Ich hätte zwar noch weiter Juden behandeln dürfen, aber wer von ihnen hat in diesen Zeiten Gallenprobleme – bei der Verdauung einer fetten Gans mit Tscholent oder Kaviar? Ich hatte nicht die Absicht, jemanden anzuflehen. Auch ein Jude hat schließlich seinen Stolz. Also... vielen Dank, Herr Führer! Ich bin wieder Arzt, zwar eher Allgemeinmediziner als Internist, zudem in Theresienstadt, unter Bedingungen und mit einer Ausrüstung, über die ich Ihnen nichts erzählen muss, aber es fehlt mir nicht an Patienten und ich muss sie nicht fragen, ob sie versichert sind oder bar bezahlen. Ich behandle eher Dysenterie als Podagra, und die meisten meiner Patienten haben Läuse oder Flöhe, obwohl unter ihnen noch immer einige vornehme Persönlichkeiten aus meiner Vorkriegsklientel befinden. Ich bin Hitler dankbar für die Gelegenheit, Skabies, Keuchhusten, Gelbsucht und Typhus zu heilen. Im zweiten Kriegsjahr bin ich gewiss der glücklichste Jude unter der Sonne! Aber ich sage mir immer: Ich bin Jude und gesund. Und ich werde hierbleiben, bis die Deutschen definitiv Prügel beziehen."

Ich sehe ihn lebhaft vor mir. Kräftig gebaut, und größer als Ottla, die für eine Frau recht groß war, übrigens war Franz 1,81 m, zumindest die Körpergröße hat er von seinem Vater geerbt. Vor dem Krieg mag Felix etwas korpulent gewesen sein, aber Jahre erbärmlicher Lebensmittelzuteilung und die miserable Verpflegung in Theresienstadt haben das ihre getan. Am auffälligsten an Felix ist seine Stimme, ein tiefer, klangvoller Bassbariton. Vielleicht wird dies einem der Dirigenten unter den Häftlingen auffallen und er wird versuchen ihn zu überreden, im Chor zu singen. Wenn er Talent und Willen zeigen würde, könnte er sogar in der Oper mitwirken. Er könnte den Kezal in der „Verkauften Braut" singen. Er ist stets sorgfältig rasiert und sauber, was ihm erleichtert wird durch die Arbeit in der Praxis mit fließendem Wasser, das er aufwärmen kann. Ein solches Privileg haben andere Häftlinge in Theresienstadt nicht. Die Stromverteiler sind veraltet, die

Versorgung bricht häufig zusammen, weshalb der Ältestenrat die Verwendung elektrischer Geräte untersagt hat. Das Verbot wird zwar nicht konsequent eingehalten, aber nicht jeder hat eine Heizspirale, um Wasser zu erhitzen oder sich eine Suppe aus „organisierten" Kartoffelschalen und angefaulten Rüben zuzubereiten. Ein Großteil der Gefangenen leidet unter Hautproblemen aufgrund unzureichender Hygiene. Über Impetigo wird auch in einem populären Lied nach der Melodie von „Ich bin aus Kutná Hora (Kuttenberg)" gesungen: *Ich habe Impetigo, Impetigo, Impetigo habe ich. Der Doktor gibt mir ein Pflasterchen auf das schmerzende Beinchen...* Doktor Herškovic hat bereits graumelierte Haare und Geheimratsecken. Mit Impetigo ist er viel beschäftigt. Genau wie Ottla ist auch Felix Herškovic tatkräftig, im Unterschied zu ihr aber ironisch, skeptisch und gelegentlich unausstehlich.

Auch in Ottlas Antrag auf einen neuen Personalausweis, den sich die Bürger des Protektorats im Jahr 1941 ausstellen lassen und in diesem Zusammenhang auch Nachweise über ihre arische oder nichtarische Herkunft vorlegen mussten, ist angeführt, sie habe graumelierte Haare, obwohl das auf dem beigefügten Foto nicht erkennbar ist. Vermutlich war es älteren Datums, denn die leicht lächelnde Ottilie David, geborene Kafka, sieht darauf wie vierzig aus. Dem Antrag zufolge ist sie von größerer Statur, hat braune Augen, eine normale Nase, einen symmetrischen Mund und gesunde Zähne. Besondere Kennzeichen sind nicht vermerkt. Im ausgestellten Personalausweis einer Angehörigen des Protektorats wird dann in der oberen Ecke ein roter Stempel angebracht mit nur einem einzigen Buchstaben: „J" – *Jude*. Aufgrund dieses einen Buchstabens auf dem Dokument musste Ottla nicht in einer vorgedruckten Erklärung bestätigen, dass sie *nicht im Sinne des § 6 des Erlasses des Reichsprotektors in Böhmen und Mähren über das jüdische Eigentum vom 21. VI. 1939 Jüdin ist und zur Kenntnis nimmt, dass gemäß den bestehenden Vorschriften gegen sie vorgegangen werde, sollten sich ihre Angaben als unwahr erweisen.* Dort ist dann ein Abdruck des Daumens der rechten Hand. Schon bald machen die Deutschen in ihren sorgfältig geführten Berichten und Statistiken sowieso aus Juden Nummern.

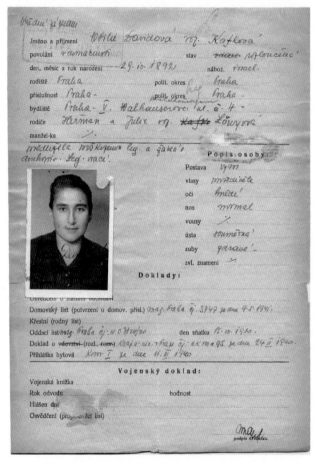

Ottlas Antrag auf einen neuen Personalausweis, 1941

Vater und Töchter

Ich stelle mir folgende Szene aus dem Jahr 1939 vor. Sonntagnachmittag. Die Wohnung der Eheleute Ottla und Josef David mit den Töchtern Věra und Helena. In der Bílková-Straße, genauer gesagt zur Zeit des Protektorats Waldhauser-Straße, lebte mit ihnen noch ein Dienstmädchen und die glatthaarige Foxterrier-Hündin Bělinka.

Merkwürdig, daß aus Komödie bei genügender Systematik Wirklichkeit werden kann.

FRANZ KAFKA, TAGEBÜCHER, 24. 1. 1922[10]

Helena legte die Zeitung auf den Tisch und schaute auf Bělinka, die laut Wasser aus einer Schüssel schlabberte und dabei den Küchenboden bespritzte. Věra griff nach einem Lappen und wischte den Boden ab. Gut, dass der Vater in seinem Zimmer war und es nicht sah.

Helena wusste nicht, ob sie lachen oder verstört sein sollte. Weil sie sich nicht vor ihrer älteren Schwester blamieren wollte, die immer couragierter und mutiger war und es nicht mochte, wenn sie gelegentlich jammerte, sagte sie in amüsiertem Ton: „Věra, das ist aber ulkig. Was sagst du dazu: Wir sind schon nicht mehr Helena und Věra Davidovi, sondern Mischling Helena David und Mischling Věra David. Ist das nicht lächerlich? Zum Glück ist unsere Bělinka ein reinrassiger Foxterrier, auch wenn sie so unordentlich ist wie ein gewöhnliches Hundevieh."

Věra wrang den Lappen im Waschbecken aus und sah ihre Schwester erstaunt an. Es war schon überraschend genug, dass Helena überhaupt eine Zeitung in die Hand nahm. „Diese Deutschen sind im Grunde genommen fürsorgliche Züchter, die auf die Reinheit der Rasse und des Blutes achten." Sie schlug mit der Hand auf die Zeitung und fügte hinzu: „Und wir sind missratene Früchtchen, unreine Straßenmischlinge, Helena und Věra vom Bahnhof."

Věra kniete sich wieder auf den Boden, tadelte den Hund zum Schein und fragte dann ihre Schwester, wo sie auf solche Weisheiten gestoßen sei. Helena schlug die Zeitung auf und zeigte mit dem Finger auf einen Artikel mit fetter Überschrift. „Das teilt uns der Reichsprotektor von Böhmen und Mähren, Freiherr von Neurath mit." Věra machte ein ernstes Gesicht, aber ihre Augen funkelten: „Ach du liebe Zeit! Freiherr von Neurath und dazu noch Protektor. Na der wird hundertprozentig eine gebührend reinrassige Herkunft haben, wenn er ein *von* ist! Und vielleicht hat er einen ähnlichen Stammbaum wie Bělinka?"

Ihre Schwester lachte so laut, dass Ottla und Josef in die Küche kamen.

„Was ist denn mit euch los?" fragte die Mutter ihre Mädchen. „Ich möchte mitlachen."

„Ach, Helena hat hier herausgefunden, dass wir beide *Mischlinge* sind, aber Bělinka zum Glück eine *von*, genauso wie der Freiherr Protektor. Also werden sie uns die Deutschen nicht wegnehmen. Da fällt mir ein: Wird ein Hund arischer Herkunft sein, wenn er von Juden gehalten wird?"

„Was ist denn das für eine dämliche Frage, Věra?" ermahnte Ottla sie halbernst.

Josef ging nervös in der Küche auf und ab. „Dämliche Mädchen stellen dämliche Fragen. Was erwartest du denn, so wie du sie verziehst. Sie können machen, was sie wollen, verkehren mit fragwürdigen Kameraden, Kommunisten und ähnlichen Elementen…"

Helena sah sehr beleidigt aus. „Na erlaub mal, Papa, was für dämliche Mädchen? Was für fragwürdige Kameraden? Denkst du etwa, wir sind schlecht erzogen?"

„Sei du lieber still", wies der Vater die jüngere Tochter zurecht. Und was ist mit Věras *Drei* in Betragen?"

Ottla ergriff die Hand ihres Mannes, damit er endlich aufhörte, in der Küche herumzustolzieren und mit den Armen zu rudern wie ein Sokol-Mitglied auf einem Turnfest: „Pepík, lass doch die alte Geschichte! Die Drei hat sie zu Unrecht bekommen. Und hat sie etwa nicht Abitur gemacht? Ist sie etwa nicht an der Philosophischen Fakultät angenommen worden?"

Wütend entzog er ihr seine Hand. „Du wirst sie immer verteidigen, auch wenn sie den größten Blödsinn anstellen. Ja, bei dir finden sie für alles Verständnis, du verschließt vor allem die Augen, weil es Mädelchen sind, die du aus lauter Liebe am liebsten auffressen würdest, also dürfen wir uns nicht wundern, wenn sie so gefährliche Reden schwingen."

„Wir machen doch Spaß, sei nicht immer so ernst. Es steht dir nicht, wenn du vor Wut ganz rot wirst und dir die Stirnadern anschwillen. Du kriegst noch einen Herzinfarkt", gab Ottla zurück und zwinkerte ihren Töchtern verschwörerisch zu.

Josef verschränkte die Arme vor der Brust und stellte sich mit dem Rücken zu Frau und Töchtern ans Fenster. Er wirkte wirklich streng. „Wenn ihr euch schon soviel Gedanken um den Hund macht, dann könnt ihr ruhig auch mit ihm spazieren gehen. Wenigstens legt sich euer Übermut ein wenig. Ihr seid keine Kinder mehr und solltet etwas vernünftiger sein."

Helena grinste und entgegnete, draußen regne es und Bělinka habe ihren Spaziergang schon gehabt. Aber Ottla unterstützte Josefs Vorschlag. Die Mädchen warfen im Flur ihre Regenmäntel über, nahmen den Foxterrier an die Leine und verließen lachend die Wohnung. Ottla setzte sich an den Küchentisch und forderte ihren Mann auf, sich ebenfalls zu setzen.

„Pepík, wahrscheinlich hast du Recht, wenn diese verrückten Gesetze auch bei uns im Protektorat in Kraft treten. Wir haben uns immer gesagt, hierher kann das nicht kommen, wir hatten hier Masaryk, Beneš. Du hast immer wiederholt, welche Patrioten die Tschechen sind, Sokol-Anhänger. Wenn ich nur an das Landesturnfest im Masaryk-Stadion denke. Diese Fahnen und Parolen... Aber dann: der Anschluss Österreichs, und das Erste, was sie machten, war die Juden von dort zu vertreiben. Dann München, dieses Jahr der März, und wir haben die Deutschen hier. Was wird nächstes Jahr sein?"

Josef ballte hilflos die Hände zu Fäusten, bis die Gelenke weiß wurden. Sein schmales, scharf geschnittenes Gesicht wirkte jetzt noch scharfkantiger. Er sah sie an: „Lies das richtig. *Als Jude gilt, wer mindestens drei rassisch volljüdische Großeltern hat und als Jude gelten auch Mischlinge mit zwei volljüdischen Großeltern.* Sie entwickeln das mit ihrer typischen Gründlichkeit in weiteren und weiteren Einzelheiten."

Ottla unterbrach ihn. Er musste nicht fortfahren. In ihrem Fall war alles klar. Alle ihre Vorfahren, sowohl die Kafkas von Vaters Seite, wie auch die Löwys von Mutters Seite waren über alle Generationen Juden. Ob sie Tschechisch oder Deutsch sprachen, an Gott glaubten, in die Synagoge gingen und dort einen Platz bezahlten, oder was den Glauben betraf gleichgültig, ob sie Zionisten oder assimiliert waren – alle waren in den jüdischen Registern eingetragen und wussten genau, dass sie Juden waren.

Ottla seufzte: „Věra und Helena sind also Mischlinge. Wenn es den Deutschen Spaß macht, Menschen so zu sortieren, damit sie uns dann wie Vieh behandeln können…"

Josef hielt es im Sitzen nicht aus und marschierte wieder in der Küche vom Fenster zur Tür wie in militärischer Ausbildung. Rechts, links… Es spuckte die Worte aus, als ob sie einen scheußlichen Geschmack hätten: „Dann ist da aber noch die Frage von Mischehen, wie sie das nennen."

„Was für eine Frage von Mischehen?" stutzte Ottla und bemerkte, dass sich ihr Mann damit offenbar schon in Gedanken beschäftigt hatte.

„Ist das etwas wie die so genannte jüdische Frage, die der *Führer* lösen muss? Ich, Ottilie David, geborene Kafka, bin also eine Frage. Und unsere Ehe ist also auch eine Frage? Für wen? Für dich?"

„Im Reich betrachten sie eine gemischte Ehe wie die unsere bereits als Schändung der Rasse. *Rassenschande*. Du weißt sehr gut, was Deutsche mit Juden machen. Die Nürnberger Gesetze gelten dort schon einige Jahre."

„Ich verstehe, Josef", sagte Ottla. „Du bist Jurist, hast Karriere gemacht und eine gute Stelle im Büro. Du hast dich so sehr anstrengen müssen, um Generalsekretär des Versicherungsverbandes zu werden. Bis heute schreist du nachts im Schlaf und die Angst kehrt zurück, durch eine Prüfung gefallen zu sein und das Stipendium zurückzahlen zu müssen und alle Anstrengung wäre umsonst gewesen. Du schuftest und schuftest, um jemand zu sein und für uns sorgen zu können, damit wir ein Dienstmädchen haben, die Mädchen studieren können und ich die Dame des Hauses geben kann, auch wenn ich ohne Weiteres irgendwo arbeiten könnte, zum Beispiel in einer Gärtnerei oder in einem Geschäft, Verpacken kann ich schließlich mustergültig, darin hat mich mein Vater gedrillt. Aber das würde dir wieder nicht passen. Und plötzlich kann dir jemand vorwerfen, die arische Rasse zu schänden. Du hast eine Jüdin zur Frau, deine Töchter sind minderwertige Mischlinge und wir sind eine Gefahr für dich. Die Bücher Franz Kafkas, des Bruders deiner Frau, verbrennen die Deutschen vielleicht in Berlin auf Scheiterhaufen zusammen mit den Romanen von Mann, Feuchtwanger oder Brecht. Hast nichts darüber gelesen?"

Josef David erwiderte wütend: „Du übertreibst. Und deine Ironie ist unüberhörbar."

„Nicht im Geringsten, Pepík. Ich denke nur laut darüber nach, was ich tun soll, damit du wegen mir und der Mädchen keine Unannehmlichkeiten hast. Du hast doch selbst zugegeben, dass dich deine Sokol-Kameraden hänseln, weil du zu Hause eine Jüdin hast. Vielleicht sollten wir uns scheiden lassen, wenigstens müsstest du dich dann nicht für mich schämen. Du hast mir sowieso schon lange nicht mehr gesagt, dass du mich liebst."

Josef schlug mit der Faust auf den Tisch. „Unsinn. Kompletter Unsinn. Wie kommst du denn auf solche Gedanken? Wir gehören seit über zwanzig Jahren zusammen. Willst du vielleicht, dass ich mich wie Burda benehme?"

„Dein Kollege, der Abteilungsleiter Dr. Burda? Dem hat mein Gugelhupf doch so gut geschmeckt. Was ist mit ihm?"

„Habe ich dir das nicht erzählt? Er hat sich scheiden lassen."

Ottla lächelte. „Na ja, es mit Leah auszuhalten…"

„Mein Gott", winkte er ab, „in jeder Ehe gibt es Probleme. Es war eher äußerer Druck. Er wurde von den Kollegen damit aufgezogen, dass seine Frau Jüdin sei."

„Von dir auch."

Er runzelte die Stirn. „Wir waren betrunken. Das ist etwas ganz anderes."

Ottla hob die Augenbrauen und starrte ihren Mann an. „Etwas anderes? Alles ist jetzt irgendwie anders. Du solltest es dir überlegen. Ich will deinem Glück nicht im Weg stehen, Pepík."

„Du führst genauso dämliche Reden wie die Mädchen. Jetzt sag bloß noch, wir sollten auch packen und Europa verlassen, außerhalb von Hitlers Machtsphäre. Zum Beispiel in dein ersehntes Palästina. Du würdest da Gemüse oder Apfelsinen züchten, die Ausbildung dazu hast du ja, woran du gerne erinnerst", fügte er höhnisch hinzu, „und ich würde mit der Hacke die Wüste bearbeiten. Und die Mädchen? Věra wurde dort in einem Kibbuz schuften und ihren Salonkommunismus pflegen. Helena könnte… mir fehlt die Phantasie dafür."

… und Kanaan sich als das einzige Hoffnungsland darstellen muß, denn ein drittes Land gibt es nicht für die Menschen.

FRANZ KAFKA, TAGEBÜCHER, 28. 1. 1922[10]

Vielleicht hat Ottla tatsächlich zusammen mit ihrer Schwester Valli Pollak erwogen, gemeinsam mit ihren Töchtern das Land zu verlassen. Vallis Tochter Mariana heiratete mit achtzehn Jahren Jirka Steiner, der aus einer wohlhabenden jüdischen Familie stammte. Die Eltern hatten Jirka mit seiner Frau klugerweise nach England geschickt. Die älteste Schwester Elli Hermann beantragte kurz vor der Besetzung des Landes durch die Deutsche Wehrmacht einen Reisepass.

Ab Mitte der Dreißigerjahre wurde die Idee des Zionismus immer bedeutsamer. Die Jugend trat jüdischen Pfadfinderverbänden bei, in denen Hebräisch gelehrt und die Alija, die Ausreise ins Gelobte Land vorbereitet wurde, zionistische Vereine organisierten Hachschara-Kurse, in denen jene, die nach Palästina auswandern wollten, Grundlagen der Landwirtschaft erlernten. Tatsächlich setzte aber nur ein Bruchteil derer, die mit dem Zionismus kokettierten, die Alija auch wirklich in die Tat um. Es ging ein Witz um. *Was ist Zionismus? Wenn zwei Zionisten einen dritten Juden davon überzeugen, ins Heilige Land zu übersiedeln.* Ottla hatte sich mit ihrem Bruder Franz lange vor der Machtergreifung der Nazis in Deutschland mit dem Gedanken einer Emigration beschäftigt.

Sie war bereits vor dem Ersten Weltkrieg dem *Klub jüdischer Frauen und Mädchen* beigetreten, gegründet im Jahr 1912. Mitglieder waren auch die Frauen von Max Brod und Hugo Bergmann oder die Schwester von Robert Weltsch. Zionismus könnte bei Ottla auch eine Flucht vor sich selbst gewesen sein, der Versuch, unter ihrem bis dahin nicht sehr glücklichen Leben einen Strich zu ziehen. Wenn Ottla nicht geheiratet hätte, wäre sie möglicherweise tatsächlich mit Franz nach Palästina ausgewandert.

Als der Erste Weltkrieg ausbrach und Prag von orthodoxen galizischen Flüchtlingen überschwemmt wurde, halfen ihnen jüdische Wohltätigkeitsorganisationen und Vereine einschließlich des Klubs jüdischer Frauen und Mädchen, zu überleben. Ottla war natürlich auch sehr engagiert. Auch Hermann Kafka spendete den Vertriebenen Hundert Paar Mädchenstrümpfe.

Mit Hitlers Machtübernahme änderten sich die Ausgangsbedingungen. Das einzige Problem für Josef David bestand darin, dass er eine Jüdin geheiratet hatte. Aufgrund seiner Position in Prag wollte Josef seine Stelle nicht aufgeben. Und da war noch etwas Anderes: Věra machte 1939 ihr Abitur am Gymnasium Charlotte Masaryková in der Dušná-Straße und schrieb sich in den Fächern Fran-

zösisch und Deutsch an der Philosophischen Fakultät der
Karlsuniversität ein.

*Das Abitur war einfach, denn alle Lehrer wollten, dass ich
es erfolgreich ablegte, und ich habe alle Fragen, die kommen sollten, beantworten können. In allen Fächern wusste
ich, was mich erwartet. Ich hatte lauter Einsen*[4], sagte sie
mir mit einem schwachen Lächeln. Im Oktober 1939
begannen ihre Vorlesungen in Prag, aber im November
schlossen die Deutschen alle Hochschulen. Věra wurde
Ausbilderin und Lehrerin an der privaten Turnschule von
Běla Friedländer im Axa-Palais.

„Palästina... Das war auch eine Möglichkeit", gab Ottla
zu, als hätte sie die Ironie in Josefs Stimme nicht gehört.

„Na klar. Hat dich der hässliche Jude so geimpft?"

Ottla wusste, wen er meinte. Jakob Edelstein, seit 1933
leitender Funktionär des hiesigen zionistischen Palästina-
Amtes, wohnte einige Zeit in ihrer Bílková-Straße und
hatte nun sein Büro in einem Haus der jüdischen Gemeinde in der nahe gelegenen Dlouhá-Straße. Das Büro arbeitete bereits unter Aufsicht der Gestapo. Jeden Tag stand
dort eine Schlange von Antragstellern auf Ausreise, sei es
nach England, Palästina, in die Dominikanische Republik,
nach Bolivien, Madagaskar, Australien – wo immer sie
aufgenommen wurden.

Bescheinigungen und Aufenthaltsvisa, welche die Ausrei-
se ermöglichten, gab es indes zum Verzweifeln wenige.
Die Situation war paradox: Die Deutschen drängten das
Palästina-Amt, die Ausreise der größtmöglichen Zahl von
Juden aus dem Protektorat sicherzustellen. Eichmann, der
Spezialist der Nazis für die jüdische Emigration, forderte
bei einem Treffen mit Edelstein im Petschek-Palais, dem
Sitz der Gestapo, dass innerhalb eines Jahres sechzigtau-
send Juden emigrieren müssten. Es gab aber keinen Ort,

wohin man sie hätte schicken können. Die Briten gaben ein Weißbuch heraus, welches die Einwanderung nach Palästina, das unter ihrer Mandatsverwaltung stand, einschränkte. Einer der Gründe war, dass sie sich wegen des Erdöls die örtlichen Araber nicht zum Feind machen wollten. Auch die anderen Länder zeigten wenig Bereitschaft, eine größere Zahl europäischer Juden aufzunehmen.

Edelstein muss gewusst haben, dass die Frau mit dem Hund, der er gelegentlich begegnete, Franz Kafkas Schwester war. Sie hätten miteinander bekannt sein können. Mit seinem runden Gesicht, stumpfer Nase und einer altmodischen Brille war er nicht gerade ansehnlich, aber er war ein rechtschaffener Mann, den das Schicksal vor unlösbare Probleme stellte – die tschechischen Juden einschließlich der Flüchtlinge, die aus dem besetzten Sudetenland sowie aus Deutschland und Österreich kamen, zu retten. Jakob Edelstein wurde später der erste Vorsitzende des Ältestenrates des Ghettos Theresienstadt. Er nahm diese tragische Aufgabe ehrenhaft auf sich und bezahlte dafür mit seinem Leben und dem seiner Familie.

Das gesellschaftliche Leben geht im Kreis vor sich. Nur die mit einem bestimmten Leiden Behafteten verstehn einander. Sie bilden kraft der Natur ihres Leidens einen Kreis und unterstützen einander. Sie gleiten an den innern Rändern ihres Leidens entlang, lassen einander den Vorrang oder schieben im Gedränge einer sanft den andern. Jeder spricht dem andern zu, in der Hoffnung einer Rückwirkung auf sich oder, dann geschieht es leidenschaftlich, im unmittelbaren Genuß dieser Rückwirkung. Jeder hat nur die Erfahrung, die ihm sein Leiden gestattet...

KAFKA, BRIEF DOSTOJEWSKIS AN EINE MALERIN. TAGEBÜCHER, 12. 6. 1914[10]

Schwestern

Als sie am 21. Oktober 1941 den Transport antreten musste, war Ottlas älteste Schwester Gabriele Hermann zweiundfünfzig Jahre alt und Witwe. Mit ihr zusammen wurden ihre schöne zweiundzwanzigjährige Tochter Hana Hermann, verheiratete Seidner, deren Mann Arnošt und seine Eltern Marie und Otto Seidner ins Ghetto Łódź deportiert. Sie brachen von ihrer Wohnung in der Bílková-Straße zum Transport auf. Beim Packen ihres Gepäcks halfen ihnen Věra und Helena David. Sie waren *arisch versippt* und durften deshalb im Unterschied zur übrigen Bevölkerung des Protektorats mit Juden verkehren. Hana und Věra waren eng befreundet, sie wohnten im gleichen Haus, nur in unterschiedlichen Stockwerken. Sie gingen zusammen ins Kino *U Vejvodů* und empfanden grenzenlose Bewunderung für Greta Garbo und Marlene Dietrich, die auf der Leinwand oft in eleganten Posen und mit langen Zigarettenspitzen auftraten. Wahrscheinlich unter ihrem Einfluss begann Věra bereits mit neun Jahren heimlich zu rauchen, als der Vater sie zum Kiosk schickte um Zigaretten der Marke *Egypt* zu kaufen. Eine Krone blieb ihr und dafür kaufte sie sich zehn billige *Zora*-Zigaretten. Sie rauchte auch auf dem Heimweg von der Schule und neutralisierte den Geruch dann mit Zahnpasta, die sie in ihrer Tasche hatte. Es war auch eine Form des Protests gegen ihren despotischen Vater, den sie nicht ausstehen konnte und bei jeder Gelegenheit anlog.

Zehn Tage nach ihrer Schwester Gabriele, am 31. Oktober 1941, musste Valerie Pollak mit ihrem Mann Josef ihre Wohnung in der Vězeňská-Straße 7 verlassen und zum Transport antreten. Auch dieser vierte Transport endete in Łódź.

Zusammen mit eintausend Menschen aus dem zweiten Transport wurde Elli mit ihrer Familie im so genannten

Kinderkrankenhaus in der Lagiewnicka-Straße untergebracht und vom 1. Januar 1942 an in einer weiteren Ge-
meinschaftsunterkunft in zwei miteinander verbundenen
Häusern nahe am Ghetto-Zaun in der Franciszkánska-
Straße. Nach Aussagen Überlebender zog Elli Hermann
zusammen mit den Seidners im Frühjahr 1942 in eine eigene Wohnung in der Hnĕzdenska-Straße 1, wo mit ihnen
von da an Valli und Josef Pollak wohnten. František Kafka, der auch in Łódź interniert war, berichtet, er habe Valli
im Winter 1941/42 besucht. Sie sei damals schon stark
abgemagert gewesen und habe Ottla ähnlich gesehen.

*Sie beklagte sich über nichts, brauchte nichts. Was ich je-
doch damals überhaupt nicht geahnt habe,* führt František
Kafka an[11], *war, dass mit uns aus dem zweiten Transport
sowohl in der Lagiewnicka-Straße wie auch in der Franci-
szkánska-Straße unter einem Dach Kafkas älteste Schwester Gabriele Hermann lebte. Keine der beiden Frauen
erhob den geringsten Anspruch darauf, irgendwelche
Vorteile daraus zu ziehen, Schwester des Schriftstellers zu
sein. Kafka war damals schon sehr bekannt in deutschen
literarischen Kreisen und auch eine große systematische
polnische Studie über die Gegenwartsliteratur, auf die ich
dort gestoßen bin, zählte ihn zur Weltliteratur. Weder
Gabriele Hermann noch Valerie Pollak trachteten danach, im Ghetto als Prominente bevorzugt behandelt zu
werden, obwohl dies der Vorsitzende des Ältestenrats
Rumkowski zweifellos bewerkstelligt hätte, wie etwa bei
zwei Mitarbeitern der Prager Stadtverwaltung und der
Jüdischen Gemeinde, die nach Łódź deportiert worden
waren. Beide Kafka-Schwestern bewegten sich unter uns
so unauffällig und anspruchslos wie Egon Erwin Kischs
Bruder Arnold oder der Maler Robert Guttmann. Aus den
Aufzeichnungen des Jüdischen Historischen Instituts in
Warschau geht hervor, dass Elli und Valli in der Hnĕzdenska-Straße am 10. September 1942 aus dem Einwoh-
nerverzeichnis gelöscht wurden, ebenso Josef Pollak. Also*

gingen diese drei Verwandten Franz Kafkas, zwei der Schwestern und ein Schwager, den gleichen Weg wie ihn in der Woche des Grauens der Sperren viele andere gegangen waren, in der Woche, in der die Nazis dem Ghetto die Verpflegung verweigerten und spontan ununterbrochen Selektionen unter der Bevölkerung durchführten, zum Tod in Gaswagen im nahe gelegenen Gutshof in Chełmno (Kulmhof), das die Nazis zum ersten Massenhinrichtungsort für zehntausende Kinder und Erwachsene machten: zum Tod in LKWs, in die jene auf den Straßen eingefangenen Unglücklichen getrieben wurden. Sie kamen durch Ersticken ums Leben, denn die Abgase des Motors wurden in den Laderaum geleitet...

František Kafkas über fünfzig Jahre alter Bericht ist sachlich und konzentriert sich auf die nackten Fakten. Wir erfahren nichts darüber, wo Ottlas Schwestern im Ghetto Łódź zur Arbeit eingesetzt waren und was sie erlebt haben, auch wenn man sich das hinzudenken kann. Wie auch immer: Von fünftausend Juden aus Böhmen und Mähren, die im Jahr 1941 dorthin deportiert wurden, haben nur 277 überlebt.

Damals im Oktober 1941 ahnte niemand, was nach der Abfahrt von Prag nach Polen folgen würde. Ottlas Tochter Věra hat sich Jahre später in einem ihrer seltenen Interviews daran erinnert, wie sie ihnen geholfen hatten zu packen, sie hatten die ganze Nacht durchwacht. Sie haben sich von Franz erzählt, von Großvater und Großmutter, und sich gegenseitig versichert, dass dies vielleicht bald alles überstanden sei. Darüber, dass sie nach Łódź fahren würden und dass dies Gefahr bedeuten könnte, sprachen sie nicht – das Ziel der Deportation war ihnen nicht bekannt.

Tante Elli war blass und weinte. Sie hatte sich immer damit getröstet, dass es ihrem Sohn Felix, dem es noch vor Kriegsausbruch gelungen war, die Republik zu verlassen, gut gehe. Aber einen Tag vor der Deportation kam ein Paket. Zusammen mit seiner Wäsche enthielt es die Mitteilung, dass er in einem Internierungslager in Belgien an Typhus gestorben sei.

Am Morgen begleiteten Věra und Helena sie zum Sammelplatz am Messegelände. Als ich mit Věra darüber sprach, sagte sie:

Wir haben erst später erfahren, dass sie nach Łódź gefahren waren. Als wir von den Deutschen die Genehmigung dafür bekamen, stellten mein erster Mann Karel Projsa und ich Päckchen für sie zusammen und schickten sie nach Łódź. Hier in der Ostrovní-Straße war ein jüdisches Postamt und von dort aus durften wir die Päckchen mit der Genehmigung versenden. Allerdings kam nie eine Bestätigung, dass die Schwestern die Sendung überhaupt erhalten hatten.[4]

Die Schlinge um Ottlas Hals zog sich gefährlich zu. Aus dem Haus in der Bílková-Straße waren bereits mehrere jüdische Familien deportiert worden. Ihre Schwestern Elli und Valli waren abtransportiert worden, und die Bedrohung schwebte auch über ihr. Sie wusste nur das Datum noch nicht. Schließlich war sie Jüdin. Die Vorladung konnte jeden Tag eintreffen.

Scheidung oder Trennung?

Am 24. Februar 1940 kam es zu einem ganz entschei-denden Schritt in ihrem Leben – ihre Ehe mit Josef David wurde getrennt. Die Motivation war vollkommen klar: ihre Töchter zu schützen und ihren Mann, den die Ehe mit einer Nichtarierin beruflich bedrohte. Věra und Helena wussten lange nichts von dem, was vor sich ging. Nachdem eine Vor-Ort-Kontrolle, ob die Trennung nicht nur zum Schein vollzogen worden war, Josef zu Hause an-getroffen hatte, mietete er verschreckt formal eine Woh-nung nicht weit von ihrem Haus an, ebenfalls in der Bíl-ková-Straße, wo er die Nächte verbrachte. Zum Mittag-essen und nachmittags kam er aber nach Hause, nur abends ging er wie früher in eine Kneipe, von wo aus er nicht nach Hause zurückkehrte.

Für uns war das ein großer Vorteil. Vater war schrecklich nervös, nach dem Abendessen ging er in die Kneipe auf ein Bier und kam dann nicht mehr zurück. Wenn er sein Bier trinken gegangen ist, hatten wir Mädels unser Fami-lienleben.[7]

Im bereits erwähnten Artikel im Anzeigenblatt der Jü-dischen Gemeinde aus dem Jahr 1965 gibt František Kaf-ka an, Ottla David sei formal geschieden worden und auch Věra verwendet in ihren Interviews den Begriff *Schei-dung*. Allerdings führt Ottlas Antrag auf einen neuen Personalausweis aus dem Jahr 1941 (siehe Seite 68) als Familienstand *getrennt* an. Die *Trennung* war eine Form der Scheidung von Ehepartnern, die nicht irreversibel war. Darüber entschied ein Gericht, das die Vereinbarung der Eheleute bestätigte, und es war möglich, diese durch bloße Benachrichtigung des Gerichts rückgängig zu machen. Im Unterschied dazu stellte eine gerichtliche Scheidung die endgültige Trennung einer Ehe dar, die nicht umkehrbar war. Beide sind verankert im österreichischen Bürgerlichen Gesetzbuch von 1811, § 103 folgende. Die *Trennung* bezog sich auf Tisch und Bett, wobei die Eheleute nicht mehr zusammen lebten und keine gegenseitigen Ansprüche hatten, aber zumindest standesamtlich noch als Ehepaar registriert waren. Im Grunde genommen handelte es sich um die Anwendung der römisch-katholischen Institution der Trennung, mit der die Unmöglichkeit einer Scheidung für Katholiken umgangen wurde. Danach hatten die getrennten Eheleute keine gegenseitigen Rechte und Pflichten mehr, es sei denn, sie hatten Unterhalts- oder andere Pflichten vereinbart.

Und es gibt noch ein weiteres Dokument. Zwei Jahre nach Kriegsende stellte Věra den Antrag, ihre Mutter für tot erklären zu lassen. Der Landesnationalausschuss in Prag gab am 27. Oktober 1947 eine Erklärung ab, in der er verkündet, dass *Ottilie David, geboren am 29. Oktober 1892 in Prag, Tochter von Hermann Kafka und Julie, geborene Löwy, zuletzt wohnhaft in Prag V, č. p. 132, nach Heimatsrecht zu Prag gehörig, jüdischen Glaubens, verheiratet, für tot erklärt und der 5. April 1944 als der Tag angesehen wird, den sie nicht überlebt hat.* Laut Dr. Lenka Matušíková aus der 1. Abteilung des Nationalarchivs, Spezialistin für jüdische Melderegister, würde das bedeuten, dass *die Trennung annulliert wurde – aber Dokumente darüber besitzen wir nicht. Wie es scheint, bleibt die Frage unbeantwortet, ob Ottilie David, geb. Kafka, lediglich getrennt oder vor der Deportation tatsächlich geschieden war.*

***

Der Wert des Austobens der Laster, der durch nichts zu ersetzen ist, besteht darin, daß sie in ihrer ganzen Kraft und Größe aufstehn und sichtbar werden, selbst wenn man in der Erregung der Mitbeteiligung nur einen kleinen Schimmer von ihnen sieht. Man lernt das Matrosenleben nicht durch Übungen in einer Pfütze, wohl aber kann man durch allzugroßes Training in der Pfütze unfähig zum Matrosen werden.

FRANZ KAFKA, TAGEBÜCHER, 8. 10. 1916

Juni 1942. Věra kehrte vom mittäglichen Spaziergang zurück und ließ im Flur Bělinka von der Leine. Mit freudigem Bellen rannte die Foxterrierin in die Küche, aus der sich der Geruch des vorbereiteten Sonntagsessens ausbreitete.

„Lass dieses Hundevieh nicht hier herein", hörte sie ihren Vater brüllen. Obwohl er offiziell schon nicht mehr bei ihnen wohnte, kam er weiter regelmäßig zu den Mittagessen, besonders sonntags. Věra musste lächeln, hängte die Jacke ihrer Mutter auf einen Bügel, zog die Schuhe aus und ging zu ihrer Mutter und ihrer Schwester ins Wohnzimmer.

„Ich habe wieder diesen Blödmann getroffen", sagte sie mit einem schiefen Grinsen.

„Mařák, oder wie heißt dieser Alte?" fragte Helena.

„Er ist auf mich losgegangen, wie es sein könne, dass eine stinkende Jüdin mit einem Hund auf die Straße gehe. Ich habe ihm gesagt, er könne mir den Buckel runter rutschen."

Helena jauchzte auf. „Das ist sensationell! Du hast ihm gesagt, er könne dir den Buckel runter rutschen? Wirklich?"

„Nicht nur das" sagte Věra. „Das wird er nicht so schnell vergessen. Ich lasse mich doch nicht von so einem Trottel beleidigen."

„Mädchen, ihr müsst euch beruhigen", ermahnte sie Ottla. „Ich verstehe dich ja, Věra, unter normalen Umständen würde ich mir das auch verbitten, aber du weißt doch, wie die Zeiten sind. Stell dir das vor: Eine Nachbarin hat Frau Finkler angezeigt, weil sie zu Hause einen Papagei hat, was sie als Jüdin nicht darf!"

Da platzte der Vater ins Zimmer und packte Věra grob am Arm.

„Du dumme Gans, du bist wieder mit Mutters Jacke rausgegangen!"

„Draußen bläst ein kalter Wind", versuchte Ottla ihre Tochter zu verteidigen. „Also hat sie sich meine genommen. Mach doch keine große Geschichte daraus."

Josef David sah sie wütend an.

„Sei still, wenn du das nicht verstehst. Věra hat deine Jacke nicht genommen, weil sie selbst keine hat, sondern weil auf deiner dieser verdammte Stern ist. Und unserer dummen Tochter fällt nichts Besseres ein, als mit diesem Zeichen und dem Hundevieh spazieren zu gehen. Mein Gott", schrie er und schlug die Hände vors Gesicht. „Das Mädchen will uns noch mehr Probleme bereiten als wir ohnehin haben."

„Du hast überhaupt keine Probleme", widersprach Věra ihrem Vater.

„Nein, alles ist normal", schrie er mit sich überschlagender Stimme.

„Deine Tanten sind irgendwo in Polen eingesperrt, deine Mutter muss mit diesem Stern herumlaufen, die Deutschen haben wieder das Standrecht in Kraft gesetzt, sie rächen sich für Heydrich, täglich erschießen sie Dutzende von Tschechen, hast du die ausgehängten Listen nicht gesehen? Und du nimmst in aller Ruhe die Jacke deiner Mutter mit dem Judenstern und gehst den Hund ausführen, wo jeder weiß, dass Juden keine Haustiere halten dürfen. Ja, alles ist normal. So eine Provokation!"

„Ich schäme mich nicht für den Stern, das ist immerhin ein Davidstern und ich heiße David", erwiderte Věra. „Am liebsten würde ich ihn immer tragen."

„Ich auch", flüsterte Helena, aber zum Glück hörte dies der aufgebrachte Vater nicht.

„Du führst dich auf wie ein Idiot, Věra."

„Ich?" erhob sie die Stimme.

„Wer sonst?" schrie Josef David und ihm war anzusehen, dass er die Beherrschung verlor.

„Hört doch auf damit", flehte Ottla, aber in Věra hatte sich schon zuviel Wut aufgestaut, als dass sie ihrer Mutter noch hätte gehorchen können.

„Und was ist damit?" Sie öffnete die Schublade des Tisches und zog die *Versicherungsrundschau* heraus, das Mitteilungsblatt des Zentralverbandes der Privatversicherer in Böhmen und Mähren, in dem Josef David zu dieser Zeit die Funktion des stellvertretenden Generalsekretärs ausübte.

„Was hast du da? Was fällt dir ein, in meinen Sachen zu wühlen?" Er versuchte, seiner Tochter die Zeitung zu entreißen.

„Du verurteilst also empört das Attentat auf unseren Protektor, den ersten Wächter unserer staatlichen Autonomie im Rahmen des Großdeutschen Reichs?"

„Gib das her!"

„Ich denke gar nicht daran! Hört nur mal, was unser Väterchen geschrieben hat."

Das Wohl und das Heil des Großdeutschen Reiches wer-
den das Wohl und das Heil auch der gesamten Bevölke-
rung des Protektorats Böhmen und Mähren. Trotz aller
scharfen Maßnahmen gegen Menschen, die vom rechten
Weg abgewichen sind, können wir nicht übersehen, dass
jedem, der bereit ist, ordentlich und loyal zu arbeiten, die
sichere Möglichkeit gewährt wird, friedlich seiner Arbeit
nachzugehen, in Frieden zu leben und in beiderlei Hin-
sicht werden ihm von den zuständigen Organen hilfreiche
Hände gereicht.

„Und das ist auch gut", fuhr Věra fort und wich geschickt
den Händen ihres Vaters aus.

„ ...wenn wir unsere eigene menschliche und wirtschaft-
liche Existenz bewahren wollen und auch die jener Insti-
tutionen, die uns ernähren, müssen wir unmissverständ-
lich in die Richtung arbeiten, die uns unser Staatspräsi-
dent und unsere Regierung vorgegeben haben, das heißt
zum Wohle der Interessen des Großdeutschen Reiches,
weil sein Erfolg und sein Heil in der Zukunft auch der
einzig mögliche Erfolg für uns und die gesamte Bevöl-
kerung Böhmens und Mährens sein wird. "[12]

„Genug", brüllte er und endlich gelang es ihm, ihr die
Versicherungsrundschau zu entwinden, auch wenn er dabei die Titelseite zerriss. „Das verstehst du überhaupt
nicht. Das ist Taktik."

Věra verzog das Gesicht. „Na klar. Zum Nutzen der Interessen des Reiches arbeiten. Du tust doch genug dafür."

„Mein Gott", flüsterte Ottla und verließ leise die Küche.

„Verstecke diesen Mist in Zukunft nicht hier bei uns, du
hast schließlich eine eigene Wohnung", sagte Věra und
knallte die Tür hinter sich zu.

Etwa zu dieser Zeit taucht im Schicksalsdrama von Ottla David und ihren Töchtern die Figur Karel Projsa auf. Als Ottlas Schwestern nach Łódź deportiert worden waren, half er Věra und Helena, Lebensmittelpakete zusammenzustellen, die sie ihnen nach Polen schickten. Später schickten sie dann zusammen Ottla Pakete nach Theresienstadt. Berichten zufolge hat Karel Projsa Franz Kafka noch persönlich gekannt. Er wurde 1912 geboren und war ein Bekannter Věras, vielleicht lernten sie sich in der Zeit kennen, als Věra für kurze Zeit an der Philosophischen Fakultät studierte, bevor die Deutschen sie wie alle Hochschulen schlossen.

Er war kein Naturwissenschaftler und auch nicht Übersetzer, eher ein gebildeter Liebhaber von Literatur und Kunst, charakterisiert Josef Čermák Projsa. *Er gehörte zum Kreis der Prager Avantgarde-Literaten, mehr oder weniger verbunden mit der surrealistischen Bewegung und dem Strukturalismus. Von 1933–1939 studierte er an der Prager Philosophischen Fakultät Tschechisch und Geschichte. Er wollte das Studium mit einer Dissertation bei Professor Albert Pražák abschließen, bewegte sich aber zumeist im Kreis der Schüler Jan Mukařovskýs. Während des Krieges schloss er sich dem Widerstand an, insbesondere kümmerte er sich mutig um materielle Hilfe für in den Konzentrationslagern inhaftierte Juden. Das Sammeln seltener und kurioser Drucke brachte ihn in das Umfeld des Advokaten Kamill Resler. Seine Nähe zu Kafkas Familie und die dadurch erhaltenen Schriften und mündlichen Informationen nutzte er für den Versuch, Kafka im tschechischen Milieu bekannt zu machen – zu einer Zeit, als das Interesse für sein Werk auf eine schmale Schicht von Intellektuellen und Künstlern beschränkt war.*[13]

Als es zur Trennung der Ehe von Ottla mit Josef David kam, entschloss sich Karel Projsa, wenngleich um zwanzig Jahre jünger, zu einer großzügigen Geste: Er bot Ottla die Eheschließung an, um sie als Arier zu schützen. Er wollte damit gutmachen, was zwischen den Eheleuten geschehen war. Aus mehr oder weniger verständlichen Gründen wurde diese Ehe nicht geschlossen. Unmittelbar nachdem Ottla nach Theresienstadt deportiert worden war, flohen aber Věra und Helena in Projsas Wohnung in der Korunní-Straße 5 im Prager Stadtteil Vinohrady. Josef David erreichte indes auf gerichtlichem Wege, dass seine jüngere und noch minderjährige Tochter Helena zu ihm zurückkehren musste. Es ist davon auszugehen, dass David aus seiner Mietwohnung in Ottlas behagliche Wohnung in der Bílková-Straße zurückkehrte. Nach einiger Zeit heiratete Věra Karel Projsa. Sie lebten bereits zusammen und wollten durch die Eheschließung ihre anfänglich eher formelle Beziehung legalisieren.

Als Besucher empfingen sie Professor Mukařovský, die Malerin Toyen, Pavel Eisner. Jindřich Heisler lebte dort und in den letzten Kriegsmonaten versteckte sich der Schriftsteller Jiří Weil in der Wohnung von Karel und Věra Projsa.

Projsa, sagte mir Věra, *war so ein ewiger Student. Einerseits war es gut, dass er den „Beruf" Hochschüler ausübte, aber andererseits hatte er dadurch kein Einkommen. Er war viel älter als ich. Ursprünglich hatte er meiner Mutter den Hof gemacht. Karel war einer von wenigen unserer Bekannten, die uns noch besuchten, denn zu Juden ging man nicht mehr. Er verhielt sich Mutter gegenüber sehr zuvorkommend, brachte ihr Blumen. Sie war zu ihm auch nett. Er war göttlich, und zugleich ein Niemand. Seine Mutter unterstützte ihn finanziell. Er schrieb für jedermann Artikel, aber sonst war er nichts und ging auch nicht zu den Prüfungen an der Fakultät, als die Hochschu-*

len noch nicht geschlossen waren. Jeder unterstützte ihn und er versuchte, jedem zu helfen. Er kannte noch den Kreis der Schriftsteller aus der Vorkriegszeit, Kafka und seine Freunde. In nichts kannte er sich besonders aus, aber er hatte großen Ehrgeiz, in der Gesellschaft der Intellektuellen Anerkennung zu finden. Mein Vater hasste diese ganze gemischte studentische Szene und ärgerte sich, dass seine Kinder ihr verbunden waren – mit solchem sozialem Abschaum, der sich aufführte wie Kommunisten. Als Studentin des Prager Gymnasiums wollte ich auch interessant sein. Es gab die Zeitschrift „Mladá kultura" (Junge Kultur), ich habe geholfen, sie zu verbreiten und auch Artikel dafür geschrieben, also verkaufte ich sie auch auf den Straßen. Mutter hatte Verständnis für alles auf der Welt. Wenn Sie ihr gesagt hätten, dass Sie sich für eine Organisation engagieren, die sich um verlassene Hunde kümmert, wäre sie sofort Mitglied geworden. Mutter war für alles Gute. Fröhlich, optimistisch – wollte etwas gegen die Schrecken dieser Welt tun.[4]

Projsa und Věra ließen sich zwar nach dem Krieg scheiden, aber er verlor das Interesse für das Werk Franz Kafkas nicht, bemühte sich um die Herausgabe einer eigenen Übersetzung seiner Werke, aber aus dem Plan wurde nichts – einerseits aus juristischen Gründen im Zusammenhang mit den Autorenrechten, andererseits, weil Eisner Zweifel an der Qualität der Übersetzung hatte.

Mladá kultura, eine Monatsschrift der Jugendbewegung an Gymnasien und Mittelschulen, erschien in den Jahren 1935 bis 1938. Die Zeitschrift war von Anfang an das Organ der gleichnamigen Bewegung junger Schüler, die als Abspaltung der kommunistischen Jugendorganisation entstanden war. Sie hatte einen ausgeprägt linken, antifaschistischen Charakter. Beiträger waren aufstrebende Autoren, unter ihnen eine Reihe bedeutender Persönlichkeiten wie Jiří Orten, Kamil Bednář, Ivan Blatný, Jan

91

Drda und weitere. Věras Beiträge dürften unter einem Pseudonym oder einer Chiffre erschienen sein, was nichts Außergewöhnliches war. Ebenfalls nicht außergewöhnlich war die linke Orientierung, die in einer bestimmten Schicht der jungen Generation überaus populär war, auch bei Jugendlichen, die aus gutsituierten bürgerlichen Familien stammten. Věra selbst sagte Jahre später, alles, was mit dem Bürgertum zu tun hatte, habe sie angewidert. Dahinter steckte der Generationenkonflikt, Naivität, aber auch die Gene Ottlas und ihres Bruders Franz Kafka.

Wir sind mit der roten Fahne durch die Dörfer gezogen, haben „Avanti Popolo" gesungen und die Leute erschreckt, erinnerte sich der Regisseur František Miška, ebenfalls Mitglied von „Mladá kultura" nach Jahren. *Unsere Großsprecherei unterschied sich nicht sehr von der Überheblichkeit junger Leute heutzutage. In einer Hinsicht waren wir allerdings anders. Wir haben ständig zusammengehockt und leidenschaftlich über öffentliche Angelegenheiten diskutiert. Unentwegt wollten wir naseweis etwas verbessern oder beheben. Alles war für uns neu und interessant... Und wir haben so wunderbaren Quatsch angestellt.*[14] Ihre Idole waren das *Befreite Theater* von Voskovec und Werich, E. F. Burian, alles Avantgardistische, Provozierende.

Deportation

Im August brachte abends ein Bote der Jüdischen Gemeinde auch Ottla David in die Bílková-Straße die Vorladung zum Transport. Nachdem ihre Ehe amtlich getrennt war, hatte sie den Schutz durch die Mischehe verloren und wusste, dass dies irgendwann passieren würde. Dieser Moment war nun gekommen.

Ihr verzweifelter Plan war aufgegangen: Sie würde allein gehen. Wahrscheinlich empfand sie eher Erleichterung. Das Warten und die Unsicherheit hatten ein Ende gefunden. Sie würde ihren Schwestern folgen, das Schicksal der anderen Juden teilen. Sie hielt den Befehl in der Hand, die Nummer ihres Transportes war AAw, ihre persönliche Nummer 643, dazu das Datum, an dem sie sich am Sammelort neben dem Messepalast einzufinden hatte. Die Würfel waren gefallen. Normalerweise blieben bis zur Abfahrt des Transports zwei, drei Tage.

Ich kann mir nicht vorstellen, was ihr in den letzten Tagen und Stunden vor der Deportation durch den Kopf gegangen ist. Aber ich bin davon überzeugt, dass sie sich ruhig und mutig verhielt. Die Töchter Věra und Helena blieben immerhin bei ihrem Vater. Er versprach, sich um sie zu kümmern. Und sie selbst? Irgendwie würde sie schon klarkommen. Sie war immer klargekommen.

Ottla David wusste zu diesem Zeitpunkt nicht – und niemand unter der jüdischen Bevölkerung wusste es –, dass am 20. Januar 1942 in einem Schlösschen am Ufer des Wannsees bei Berlin eine Geheimkonferenz von fünfzehn hochrangigen deutschen Funktionären stattgefunden hatte, auf der sie innerhalb von eineinhalb Stunden über die Koordination der „Endlösung der Judenfrage" entschieden – also über die totale Ausrottung der Juden.

Im Protokoll der Konferenz wird ausgeführt: *Die finanziellen Schwierigkeiten, wie Erhöhung der Vorzeige- und Landungsgelder seitens der verschiedenen ausländischen Regierungen, fehlende Schiffsplätze, laufend verschärfte Einwanderungsbeschränkungen oder -sperren erschweren die Auswanderungsbestrebungen außerordentlich.*

Unter Punkt III. des Besprechungsprotokolls wird konstatiert:

Anstelle der Auswanderung ist nunmehr als weitere Lösungsmöglichkeit nach entsprechender vorheriger Genehmigung durch den Führer die Evakuierung der Juden nach dem Osten getreten. Diese Aktionen sind jedoch lediglich als Ausweichmöglichkeiten anzusprechen, doch werden hier bereits jene praktischen Erfahrungen gesammelt, die im Hinblick auf die kommende Endlösung der Judenfrage von wichtiger Bedeutung sind.

Im Zuge dieser Endlösung der europäischen Judenfrage kommen rund 11 Millionen Juden in Betracht (...)

Und einige Absätze später:

Im Zuge der praktischen Durchführung der Endlösung wird Europa vom Westen nach Osten durchkämmt. Das Reichsgebiet einschließlich Protektorat Böhmen und Mähren wird, allein schon aus Gründen der Wohnungsfrage und sonstigen sozial-politischen Notwendigkeiten, vorweggenommen werden müssen.

Die evakuierten Juden werden zunächst Zug um Zug in sogenannte Durchgangsghettos verbracht, um von dort aus weiter nach dem Osten transportiert zu werden.

Begreiflicherweise ist in diesem Dokument nicht von Vernichtungslagern oder Ermordung die Rede, nur euphemistisch von *natürlicher Verminderung*, zu der es beim Straßenbau im Osten *zweifellos* kommen werde.

Der allfällig endlich verbleibende Restbestand wird, da es
sich bei diesem zweifellos um den widerstandsfähigsten
Teil handelt, entsprechend behandelt werden müssen, da
dieser, eine natürliche Auslese darstellend, bei der Frei-
lassung als Keimzelle eines neuen jüdischen Aufbaues
anzusprechen ist. (Siehe die Erfahrung der Geschichte.) [15]

Die Entscheidung über die „Endlösung der Judenfrage"
war streng geheim. Selbst die Juden, die bereits in Theresienstadt oder anderen Konzentrationslagern inhaftiert waren, wussten nicht, dass ihr Schicksal längst besiegelt war.

Dabei hatte das Massenmorden bereits vor der Wannsee-
Konferenz begonnen. Die Einsatzgruppen der SS spielten
dabei ihre Rolle, ab Ende des Jahres 1941 begann das
Morden mit Gaswagen, den mobilen Gaskammern in
Kulmhof, und vor allem hatte auf Himmlers Befehl der
Bau von Vernichtungslagern mit großen Kapazitäten be-
gonnen. In den Sammlungen des Jerusalemer Museums
Yad Vashem wird das so genannte *Auschwitz-Album* gezeigt. Es besteht aus 56 Seiten mit 193 Fotografien, die
wahrscheinlich von zwei deutschen SS-Angehörigen in
Auschwitz-Birkenau angefertigt wurden. Die Fotos zeigen
Häftlinge vom Augenblick ihrer Ankunft im Vernichtungslager, ihre Selektion an der Rampe, unterschiedliche
Gruppen von Juden und schließlich wartende Menschen-
mengen. Eine Aufnahme zeigt eine größere Gruppe in
einem Wäldchen, das sich in der Nähe der Gaskammern
befand. Auf den ersten Blick erscheinen die Menschen
ruhig. Im Vordergrund schauen Kinder direkt in die
Kamera. Wir wissen, es ist im Sommer 1944, wir riechen
förmlich den Nadelgeruch, unter den Bäumen ist es
angenehm kühl und ruhig. Wahrscheinlich herrscht rings
herum Stille. Bis zum letzten Augenblick ahnt niemand
von diesen Menschen, was in einigen Minuten oder
Stunden geschehen wird. Ich muss an die Schlange und
die weiße Maus im Terrarium denken.

Du weißt nichts von dir in der Hinsicht, was besser für dich ist. Heute in der Nacht zum Beispiel ist in dir auf Kosten deines Gehirnes und Herzens ein Kampf zwischen zwei ganz gleichwertigen gleichstarken Motiven durchgeführt worden, auf beiden Seiten Sorgen, das heißt Unmöglichkeit der Berechnung.

FRANZ KAFKA, TAGEBÜCHER, 27. 8. 1916[10]

Im Haus erschallte das Klappern von Absätzen. Věra flog die Treppen hinauf, um so schnell wie möglich zu Hause zu sein. Ihre Mutter musste sich am nächsten Tag am Sammelplatz beim Messepalast einfinden. Und alle wussten auch schon, was zum Transport mitzunehmen notwendig war, denn sie hatten ja schon Elli und Valli geholfen, sich darauf vorzubereiten. Im letzten Moment stellten sie fest, dass eines der wichtigsten Dinge fehlte: eine Essschüssel. Wahrscheinlich hatten sie diese einer der Schwestern mitgegeben.

Věra bot sofort an, zu versuchen, eine zu besorgen. Die Eisenwarengeschäfte abzuklappern erschien sinnlos – alles, worin man Essen zubereiten konnte, war hoffnungslos ausverkauft. Tausende von Juden wurden *ausgesiedelt*, wie es in der nazistischen Terminologie hieß, und alle wollten eine Essschüssel mitnehmen. Schließlich bekam sie eine von einer Kameradin aus dem Gymnasium. Sie wollte nicht umständlich erklären, wozu sie sie brauchte. Věra und ihre Schwester Helena mussten keinen Judenstern auf ihrer Kleidung tragen, und so hatten Mitschüler, die sie nicht so gut kannten, keine Ahnung von ihrer *gemischten* Herkunft. Věra rannte nach oben zu ihrer Wohnung. Sie war nicht einmal außer Atem, denn diese hundert Stufen bedeuteten bei ihrer guten Kondition nichts. Sie kramte schon nach dem Wohnungsschlüssel, als sich die Tür von selbst öffnete und Vater und Mutter vor ihr standen. Věra zeigte triumphierend die Schüssel und berichtete, wie sie diese aufgetrieben hatte.

„Und hast du ihr gesagt, dass wir sie nicht nur für das Wochenende, sondern für ein paar Monate ausborgen?" fragte Ottla übertrieben besorgt.

„Darüber haben wir nicht gesprochen", sagte Věra grinsend. „Sie müssen eben warten. Und im Zweifelsfall haben sie halt Pech gehabt."

Der Vater drehte die Schüssel in der Hand und runzelte die Stirn. „Die erinnert sich wahrscheinlich noch an den Weltkrieg."

„So wird sie auch noch den zweiten erleben", erwiderte Věra scharf. Sie sah ihre Mutter an. „Alle grüßen dich und drücken die Daumen."

Das hatte sie erfunden, um der Mutter eine Freude zu machen. Sie besuchte keine Familien, die Ottla gekannt hätten. Die meisten jüdischen Freunde waren ohnehin schon weg. Und Tschechen nahmen das Verschwinden ihrer Nachbarn in der Regel gleichgültig hin, wenn sie es nicht sogar begrüßten. Das war deren Sache und betraf sie doch nicht selbst.

Alle kehrten ins Wohnzimmer zurück, wo das Gepäck für den Transport zusammengestellt wurde. Ottla hatte sich eine Dezimalwaage geliehen, um zu kontrollieren, ob sie die erlaubten fünfzig Kilo nicht überschritt. Diese Waage wanderte von Familie zu Familie und leistete wertvolle Dienste. Natürlich konnte niemand allein fünfzig Kilo kilometerweit schleppen. Fünfzehn Kilo waren so genanntes „Handgepäck", fünfunddreißig „Mitgepäck", das abgeholt wurde.

„Wieviel haben wir jetzt?" fragte Věra.

„Acht Kilo sind noch möglich", antwortete Helena, die sich um das Wiegen kümmerte. Ottla öffnete den Koffer, schloss ihn aber wieder, denn er war voll. Im Rucksack war noch Platz.

Ottla mit Věra und Helena

„Acht Kilo ist nicht viel", stellte sie fest, denn sie wollte noch eine Steppdecke mitnehmen. Und natürlich Lebensmittel für die ersten Tage. Sie wusste, dass diese in Theresienstadt oder Łódź kostbar waren. Und sie wusste auch, was notwendig war: Schmalz, Einbrenne, haltbare Wurst, Zucker, Kaffee, Tee, Haferflocken, Zigaretten, die sich immer gegen etwas Anderes eintauschen ließen. Ein paar Medikamente, Hygieneartikel…

„Dann nimm nicht so viele Bücher, du bist sowieso keine große Leserin", warf Helena ein. Ottla überlegte, ob Bücher wichtiger waren als Lebensmittel. Was ist für das Leben am wichtigsten? Essen, Kleidung, ein Foto der Töchter…

„Glaubst du, sie werden das wiegen? Ich würde das riskieren. Ein paar Kilo mehr…", meinte Věra. Ottla entschied, dass dies ein guter Gedanke war. Im schlimmsten Fall würden sie etwas rauswerfen. Aber Josef war erschrocken über diesen Einfall. Sofort wurde er rot im Gesicht und der Klang seiner Stimme erinnerte an das Bellen ihrer Hündin, wenn sie aufgeregt war.

„Was für ein Unsinn! Zuerst werden eure Leute von der Jüdischen Gemeinde kontrollieren. Die sind so verängstigt, dass sie kein Gramm mehr erlauben werden. Und selbst wenn – die Deutschen werden bestimmt wiegen. Du weißt, wie übergenau sie sind. Es hat keinen Sinn, sie zu provozieren. Wenn sie fünfzig Kilo gesagt haben, dann fünfzig Kilo. Wenn sie sagen, um fünf Uhr früh am Messepalast, dann werdet ihr exakt um fünf Uhr dort sein."

„Werdet ihr?" platzte Věra heraus.

„Werdet ihr."

„Ich dachte, du würdest mit uns zum Sammelplatz kommen und… Das schwere Gepäck…"

„Du hast gar nichts zu denken!" herrschte er sie an.

Helena trat vor ihren Vater: „Du lässt zwei dünne Mädchen und deine Frau das schwere Gepäck von hier bis Holešovice schleppen, wo doch irgendein Trottel Mama als Jüdin aus der Straßenbahn rausschmeißen kann?"

In Wahrheit machte es ihr überhaupt nichts aus, dass der Vater zu Hause bleiben wollte. Ohnehin geschah das alles ja nur seinetwegen.

„Helena, lass das", bat Ottla und forderte die Mädchen auf, sich nicht in des Vaters Entscheidung einzumischen. An diesem Tag wünschte sie sich keinerlei Familienszenen. Sie konnte doch im letzten Waggon fahren, für diesen Fall waren Ausnahmen gestattet.

Helena verzog das Gesicht: „Ferda hat diesen Jungen während der Fahrt aus dem Waggon geschmissen, er habe da nicht die Luft zu verpesten. Und das ist nicht der einzige Fall. Es gibt Ohrfeigen, Tritte in den Hintern... So benehmen sich meistens nicht einmal die Deutschen selbst."

Ottla sagte versöhnlich: „Du weißt, wie es mit uns ist, es wird besser sein, wenn Vater nicht mit uns zusammen gesehen wird, da er offiziell nicht hier bei uns wohnt und wir getrennt sind."

„Na, gerade deswegen könnte er dich wenigstens zum Sammelplatz begleiten, wo wir uns nun einige Zeit nicht sehen", wand Helena ein.

Josef wurde noch wütender. Aufgebracht ging er in den Flur, holte die Winterstiefel seiner Frau, Bürste und schwarze Schuhcreme aus dem Schuhschrank. Durchs Wohnzimmer begab er sich auf den Balkon und begann schweigend, die Stiefel zu putzen.

„Ganz unser Papa", sagte Věra mit unverhohlener Verachtung.

„Lasst ihn, er hat es nicht leicht. Er arbeitet und ernährt uns", sagte Ottla.

„Er verdient doch genug", grinste Věra. „Dafür will er seine menschliche Existenz bewahren und arbeitet für den Erfolg der Interessen des Großdeutschen Reiches, weil sein Erfolg und Heil in Zukunft auch für uns und die gesamte Bevölkerung Böhmens und Mährens die einzig mögliche Quelle des Erfolgs sein kann", fügte sie hämisch hinzu. Die Sätze ihres Vaters aus der *Versicherungsrundschau* waren ihr im Gedächtnis haftengeblieben und sie hatte sie sogar einige Male zur Erheiterung ausgewählter zuverlässiger Klassenkameraden zitiert, weil sie regelmäßig Lachsalven auslösten.

„Gib Acht, dass er dich auf dem Balkon nicht hört."

„Er kommt auch deshalb jeden Tag aus seinem famosen Büro hierher zum Mittagessen, weil er sich in der Kneipe den Bauch nicht so gut vollschlagen könnte wie bei uns", fügte Helena hinzu.

Ottla seufzte. Ein Glück, dass ihn niemand aus dem Haus angezeigt hatte. Im Blick auf die Arier, die nach Valli und Hana und ihre jüdischen Mieter dort eingezogen waren, konnte man nie sicher sein.

„Wenn ich nicht hier bin, müsst ihr vorsichtig sein, meine Mädchen."

Věra umarmte ihre Mutter.

„Du schaust immer auf uns, als wären wir noch klein. So behandelst du uns. Denk doch mal daran, dass ich zwanzig geworden bin und Helena bald achtzehn. Wir sind schon erwachsene Frauen, nicht mehr die kleinen Mädchen, die du ins Ohrläppchen gebissen hast."

Ottla lachte: „Trotzdem beiße ich euch immer noch! Und nicht nur in die Ohrläppchen."

Helena verkrampfte und ihr traten Tränen in die Augen.

„Nicht doch", sagte Ottla streng. „Es passiert nichts Schlimmes, weswegen du weinen müsstest."

„Ich würde mit dir fahren", schluchzte Helena. „Vor Arbeit habe ich keine Angst. Du wärest nicht allein. Ich kann mich freiwillig melden. Ich wäre nicht die Erste, die freiwillig geht."

„Rede keinen Unsinn", wies sie Ottla zurecht. „Ich habe doch auch keine Angst vor Arbeit. Und ich werde dort nicht allein sein. Denkt nur daran, wie viele Bekannte dort schon sind. Ich werde in guter Gesellschaft sein. Unter Gleichgesinnten."

Sie sah zum Balkon, wo Josef weiter sorgfältig die Stiefel putzte.

„Jetzt ist August 1942. Alle sind sich darüber einig, dass der Krieg in zwei, drei Monaten zu Ende sein wird. Spätestens zum Jahresende. Nehmt es so, als führe ich in einen längeren Urlaub. Danach werden wir wieder alle zusammen sein."

Věra teilte den Optimismus ihrer Mutter nicht. „Als wir letztes Jahr im Oktober Elli, Hana, Valli Josef zum Sammelplatz begleitet haben, dachten sie auch, sie wären bis zum Winter wieder zu Hause. Sie haben nicht einmal Sommerkleidung mitgenommen. Und dann kam im Juni der Brief der Tante aus Łódź, dass es ihnen heiß sei und sie in dicken Sachen herumliefen, weil sie für den Sommer nichts hätten."

„Aber wir haben ihnen dann doch ein Paket mit Sommerkleidern geschickt", erinnerte Ottla.

„Es kam aber keinerlei Antwort. Es ist doch merkwürdig, dass sich Elli nicht einmal bedankt hat."

„Du weißt doch, wie die Post jetzt funktioniert – manchmal kriegst du einen Brief nach drei Tagen, und dann wieder nach drei Monaten", sagte Ottla.

„Polen ist weit weg", meinte Věra. „Wenn ihr alle in Theresienstadt zusammentreffen würdet, wäre das viel besser. Für dich und für sie."

Ihre Mutter nickte. Auch sie bedauerte, an einem anderen Ort sein zu müssen als ihre Schwestern. „Wenigstens müssen Franz und die Eltern das nicht mehr erleben", seufzte sie. „Ihr müsst es irgendwie durchhalten."

„Wir?" rief Věra aus. „Wir werden hier in Sicherheit sein. Du musst durchhalten. Um jeden Preis."

Josef stellte die Stiefel ab und kam ins Zimmer. „Mutter wird zurückkommen. Sie wird bestimmt zurückkommen, ich braucht keine Angst zu haben."

„Ja. Wir werden dir Pakete schicken, Mama. Mit den ausgewähltesten Köstlichkeiten, die du dir vorstellen kannst. Wir werden dich so füttern, dass man dich bei deiner Rückkehr nicht mehr wiedererkennt."

Ottla zog ihre Töchter an sich. „Macht euch nicht verrückt. Und kümmert euch gut um Bělinka. Täglich drei Spaziergänge, ihr wisst, dass sie daran gewöhnt ist."

„Wir sollten fertig packen", erinnerte Věra ihre Mutter. „Damit du vor der Reise ausschlafen kannst."

„Ich werde sowieso nicht einschlafen können. Aber dort werde ich ausschlafen."

Ottla hatte ihren Engel, sie erwähnt ihn in ihren Briefen und Kassibern, die sie aus Theresienstadt ihren Töchtern schickte. Sie sah ihn, wie er über ihrem Heim kreiste. Möglicherweise besuchte er sie häufig in Nächten, wenn sie nicht schlafen konnte, und sie sprachen miteinander. Eher sprach sie als er, aber sie wusste, dass er sie hört und versteht. Auch sprach sie im Geiste mit ihrem geliebten Bruder Franz. Vielleicht war er dieser Engel, der ihr erschien, auch wenn er nicht die Gestalt ihres Bruders hatte. Aber es spielt doch keine Rolle, wie ein Engel aussieht. Auch in jener letzten Prager Augustnacht, die sie zu Hause verbrachte, in ihrem Bett mit sauberer, gestärkter Wäsche, als sie beunruhigt darüber, was sie in den nächsten Tagen erwarten würde, keinen Schlaf finden konnte. Auf einmal war Franz da – ja, er war es. Im Dunkeln sah sie zwar seine Gestalt und sein Gesicht nicht, aber es konnte niemand anderes sein. Sie musste ihm sagen, was vor sich ging. Beide wussten, dass sie sich an einer entscheidenden Weggabelung befand.

Es kommt die Zeit, in der wir einen besonderen Passier-
schein brauchen, um auf unseren eigenen Hof zu treten,
denn die Welt verwandelt sich in ein Ghetto…

FRANZ KAFKA, GUSTAV JANOUCH,
GESPRÄCHE MIT KAFKA[27]

Franz, flüsterte sie, es ist Nacht, Anfang August 1942, und
morgen früh um fünf Uhr muss ich mich am Sammelplatz
im Radiopalast einfinden zur Abfahrt nach Theresienstadt.
Die Deutschen haben dort für Juden ein Ghetto geschaffen. Es ist Krieg, auch wenn hier in Böhmen nicht ge-
kämpft wird, aber es werden Ghettos gegründet wie im
Mittelalter. Wer am meisten leidet sind wie immer wir, die
Juden. Ich weiß sehr gut, dass dich das überhaupt nicht
überrascht.

Als sie mir die Vorladung zum Transport brachten, konnte
ich endgültig entscheiden, was ich tun werde – aber es war
mir bereits klar. Es gab nicht viele Möglichkeiten. Ich hätte tun können, was das Ehepaar Fischer getan hat: starke
Schlafmittel einnehmen und den Gashahn öffnen. Aber
das könnte ich niemals tun. Ich verüble es ihnen nicht, sie
waren alt und fühlten sich nicht stark genug, um das zu
ertragen, was die Deutschen „Umsiedlung" nennen.

Eine Flucht aus dem Protektorat ist nicht mehr möglich,
wir haben das nicht gleich getan, jetzt ist es zu spät. Ich
kenne Familien, die sich bei Bekannten verstecken. Aber
kann ich von jemandem verlangen, für mich ein solches
Risiko auf sich zu nehmen? Die Deutschen ordnen Hin-
richtungen wegen wesentlich geringerer Vergehen an.
Nein, ich bin entschlossen, anzutreten und durchzuhalten.
Auch das wird eine wertvolle Lebenserfahrung sein. Vielleicht kann ich dort nützlich sein. Und das kann doch nicht
lange andauern. Franz, warum lächelst du so merkwürdig?
Glaubst du mir nicht?

Ich habe den ganzen Abend mit Helena und Věra gepackt. Sie sind schon große Mädchen, du würdest sie nicht wiedererkennen, sie haben sogar schon Freunde. Erinnerst du dich, wie wir dir während der Wirtschaftskrise Butter und Linzer Schnitten nach Berlin geschickt haben? Ich habe sie aus Pflanzenfett und Mehlschwitze gemacht, das gehört da angeblich hinein. Wenn du hier wärest, könntest du mich bestimmt auch in anderem beraten. Ich bin froh, dass von der Familie nur ich fahren muss. Helena und Věra bleiben mit dem Vater in Prag. Übrigens, weißt du, was Josef den ganzen Abend gemacht hat, als ich mit den Mädchen gepackt habe? Er stand auf dem Balkon und hat mit seiner amtlichen Sorgfalt sinnloserweise meine Lederstiefel poliert. Wäre das nicht ein Thema für dich für eine Geschichte?

Noch einmal schrie ich aus voller Brust in die Welt hinaus. Dann stieß man mir den Knebel fest ein, fesselte Hände und Füße und band mir ein Tuch vor die Augen.

FRANZ KAFKA, TAGEBÜCHER, 3. 8. 1917[10]

Ich denke, Doktor Felix Herškovic könnte Ottla David Ende des Jahres 1942 in Theresienstadt kennengelernt haben. Ottla war wie er selbst bereits seit Anfang August dieses Jahres im Ghetto. Ihr Transport AAw verließ den Bahnhof Prag-Bubny am 3. August 1942, er umfasste 1.001 Juden. 924 von ihnen wurden in den folgenden Jahren ermordet, das Kriegsende erlebten nur 77, 7,7 Prozent. Im Jahr 1942 konnte niemand etwas von dieser Statistik ahnen.

Ottlas Chance, zu überleben, war minimal, aber sie existierte. Die Identität der Deportierten und ihre Schicksale sind bekannt. Man findet sie alle unter der Internetadresse *holocaust.cz*, oft mit Fotografien.

Vlasta Altmann war zum Zeitpunkt der Abfahrt drei Jahre alt. Schon Anfang September 1942 wurde sie nach Raasiku in Estland deportiert und dort ermordet. Eleonora Bondy war zur Zeit der Abfahrt ins Ghetto vierundsiebzig Jahre alt, sie wurde im selben Jahr in Treblinka ermordet. Hanuš Epstein, Jahrgang 1927, starb 1943 in Auschwitz. Anežka Fischl war zum Zeitpunkt der Deportation einundachtzig Jahre alt und starb nach weniger als vierwöchiger Haft in Theresienstadt. Man könnte so immer weiter fortfahren...

Dem Transport voraus gingen zwei oder auch mehr auf dem Sammelplatz beim Messegelände verbrachte Tage, von dort aus waren es zehn Minuten zu Fuß zum Bahnhof. Als eines von vielen Deportationszentren im Protektorat wurde jenes in Prag ab Oktober 1941 betrieben, mit den ersten Transporten nach Łódź fuhren Ottlas Schwestern mit ihren Familien, schon ab Januar 1942 fuhren alle mit zwei Ausnahmen ausschließlich nach Theresienstadt. Insgesamt haben 45.513 Menschen diesen Sammelplatz durchlaufen, die Mehrheit von ihnen hat das Kriegsende nicht erlebt.

In den Holzbaracken des ehemaligen Radiomarktes und in Zelten warteten Tausende Juden auf ihre Abreise. Üblicherweise hatten sie sich sehr früh am Morgen dort einzufinden, damit den Prager der Anblick der Unglücklichen erspart blieb, die einen Teil der ihnen gestatteten 50 kg Gepäck schleppten. Das „Handgepäck" betrug 15 kg, das „Mitgepäck" wurde abgeholt. Dem Gepäck und den Menschen wurde eine Transportnummer auf einem Schild zugeteilt, die sie dann wie Vieh um den Hals hängen mussten. Sie waren nur noch Nummern in der nationalsozialistischen Maschinerie. Die Ankunft am Sammelort war ein weiterer Schock, der ihnen widerfuhr, und es sollten noch schlimmere folgen. Die Baracken und Zelte waren schrecklich überfüllt, man schlief auf dem Boden, im besseren Fall auf Strohsäcken, im schlechteren auf der eigenen, dünnen Decke.

Vor den provisorischen Latrinen mit Eimern, die sie selbst leeren mussten, bildeten sich endlose Schlangen, weitere beim Warten auf Verpflegung, ein Minimum Trinkwasser. Hygiene war nicht vorgesehen. Nach und nach verringerten sich die Vorräte, die sie für die Reise mitgebracht hatten. SS-Männer kontrollierten stichprobenhaft und unter schrecklichem Gebrüll die Koffer, um festzustellen, ob sich in ihnen nicht Zigaretten oder Schmuck befänden, die bei der Ankunft hätten abgegeben werden müssen. Es gab Ohrfeigen, Fußtritte. Ein Überlebender berichtete, die Bedingungen am Deportationsort hätten an Dantes Hölle erinnert, wo der Mensch jegliche Hoffnung verlieren sollte. Paradoxerweise erwarteten viele ungeduldig den Transport, weil sie hofften, an dem Ort, wohin sie deportiert würden, könne es nicht schlimmer sein. Auch Ottla musste dieses Vorspiel durchlaufen. Ihr Schock über diese Bedingungen dürfte umso größer gewesen sein, insofern sie aus der Gemütlichkeit ihres Zuhauses hierher kam, aus ihrem eigenen Bett mit sauberer Bettwäsche, Bad, Intimsphäre, ihrer Familie. Die meisten anderen Juden waren längst um ihre Wohnungen gekommen und in ungeeigneten Unterkünften zusammengedrängt worden, wo sich mehrere Familien ein Zimmer teilen mussten.

Beide Töchter begleiteten Ottla zum Sammelort. Als sie in der Schlange wartete, in das umzäunte Areal eingelassen zu werden, sah sie ihre Kinder Věra und Helena zum letzten Mal. Sie standen auf dem gegenüberliegenden Bürgersteig, hilflos und mit Tränen in den Augen. Dabei hätte alles anders sein können. Der Mann, den sie am 15. Juli 1920 geheiratet hatte, war Tscheche, also gemäß den ab 21. Juni im Protektorat Böhmen und Mähren gültigen Nürnberger Rassegesetzen Arier. Juden in Mischehen waren von den Deportationen für lange Zeit nicht betroffen, das änderte sich erst Ende des Jahres 1944. Die Chance, zu überleben, wäre groß gewesen. Zudem waren die Töchter ordnungsgemäß getauft.

Ankunft in Theresienstadt

Im Jahr 1942, als Ottla in Theresienstadt ankam, waren die Gleise vom nächstgelegenen Bahnhof in Bohušovice noch nicht bis ins Ghetto verlängert worden, und so musste sie sich wie die anderen mit dem schweren Gepäck zu Fuß über knapp vier Kilometer in die Festungsstadt abmühen. So war es, gleichgültig, was für ein Wetter herrschte. Wenigstens war es Sommer, unter winterlichen Bedingungen und bei Schnee war dieser Weg schlimmer.

Es fällt mir schwer, mir Ottla vorzustellen, wie sie ihre Last schleppt. Manchmal warteten in Bohušovice Häftlinge aus Theresienstadt mit Karren auf einen Transport und halfen den Menschen mit ihrem Gepäck. Wenn sie jemanden aus dem Zug kannten, gaben sie heimlich erste Tipps, wie man sich in der *Schleuse*, der ersten Station in Theresienstadt, am besten verhielt, worauf Acht zu geben war, was wo zu verstecken war, wenn man es nicht verlieren wollte, mit wem Kontakt aufzunehmen war. Solche Ratschläge konnten überlebenswichtig sein.

Kaum hatten die erschöpften Menschen Theresienstadt erreicht, steigerte sich ihr Entsetzen. Ein Karren kreuzte den Weg der Kolonne der Neuankömmlinge. Darauf wurden Tote transportiert. Niemand konnte dem Anblick der Leichen entgehen. Der Tross wurde in einen riesigen Raum geführt, die Schleuse, wo das Gepäck von uniformierten Deutschen durchwühlt wurde, die sich nahmen, was ihnen gefiel oder was nicht ins Ghetto mitgebracht werden durfte. Den Neuankömmlingen wurde nach der Eingangskontrolle eine Schlafstelle zugewiesen, und manchmal auch Arbeit. Nur wenige konnten sie sich selbst aussuchen. Jeder Häftling von Theresienstadt, der älter als vierzehn Jahre war, unterlag der Arbeitspflicht, und auf der Grundlage der Einordnung erfolgte die Verpflegungszuteilung. Relativ am besten gestellt waren die jungen und die schwer arbeitenden Menschen, am schlechtesten die alten, die nicht mehr von der Arbeitspflicht betroffen waren. Hunger aber war unabhängig vom Alter ständiger Begleiter aller Theresienstadter Häftlinge.

Es fehlen Informationen darüber, ob Ottla in Theresienstadt tatsächlich im Kinderheim L 417 oder in einer anderen Einrichtung für Jugend und Kinder Arbeit erhielt. Es lässt sich heute nicht mehr feststellen, es existieren keine Dokumente darüber, auch keine Erinnerungen von Zeitzeugen. Ich platziere sie im Knabenheim L 417. Übrigens befindet sich auf seinem Hof heute eine Gedenktafel für sie. Aber es ist unwahrscheinlich, dass sie die Arbeit als Betreuerin bereits unmittelbar nach der Ankunft erhielt. Normalerweise wurden neu Angekommene zunächst den Hunderten von Häftlingen zugeteilt, die für Reinigungsarbeiten eingesetzt wurden, und erst nach einer gewissen Zeit erhielten sie einen anderen Arbeitsplatz. Ottla dürfte geholfen haben, dass sie fließend Tschechisch und Deutsch sprach. Vielleicht hat sich auch jemand für sie eingesetzt, zum Beispiel Jakob Edelstein, der sie aus der Bílková-Straße kannte und dem das Verzeichnis der neu ankommenden Häftlinge zur Verfügung stand. Bei einer Mutter von zwei Kindern konnte vorausgesetzt werden, dass sie über Erfahrung in der Erziehung verfügt, auch wenn dem Kinderheim überwiegend jüngere Menschen mit pädagogischer oder Erziehungspraxis in den jüdischen Jugendorganisationen zugeteilt wurden.

Die Kriterien für die Betreuer waren recht streng, die Auswahl des Personals für die Kinderheime oblag der Abteilung Jugendbetreuung, die von Egon Redlich, Spitzname Gonda, geleitet wurde. Er war vierundzwanzig Jahre jünger als Ottla, sollte sie aber nur um ein Jahr überleben. Bewerber hatten einen handgeschriebenen Lebenslauf vorzulegen, einem Fachausschuss Rede und Antwort zu stehen und – das war selbst unter den extremen Bedingungen in

Theresienstadt außergewöhnlich – großes Gewicht wurde bei der Auswahl der graphologischen Auswertung der Schrift des Bewerbers zugemessen.

Ottla hatte keine pädagogische Ausbildung, hatte nie unterrichtet, ihre einzige Praxis war die Erziehung ihrer beiden Töchter. Nachkriegsaussagen von Erzieherinnen und Erziehern der Kinderheime zufolge erhielt die Mehrheit von ihnen ihre Stelle mit Hilfe von Bekannten, durch Protektion.

So wenig ich sein mag, niemand ist hier, der Verständnis für mich im ganzen hat. Einen haben, der dieses Verständnis hat, etwa eine Frau, das hieße Halt auf allen Seiten haben, Gott haben ...

FRANZ KAFKA, TAGEBÜCHER, 4. 5. 1915[10]

Franz... Ottla dachte intensiv an ihren Bruder und schaute auf das Etagenbett über ihrem, wo sich irgendeine alte Frau, die sie noch nicht kennengelernt hatte, im Schlaf unruhig hin und her wälzte. Sie drehte sich von einer Seite auf die andere und gab unverständliche Laute von sich. Der Raum war erfüllt vom Atmen weiterer Mitbewohner, gelegentlichem Husten, Schnarchen und unterdrückten Seufzern. Es fiel ihr schwer, einzuschlafen mit so vielen Menschen in einem Raum. Zudem war der September noch warm, der Saal in der Kaserne ungelüftet, die Luft deshalb säuerlich und voller anderer Gerüche, die sie lieber nicht einzuordnen versuchte.

Franz, flüsterte sie unhörbar, *also hast du mich auch hier gefunden, das ist gut, denn ich kann wieder nicht einschlafen. Worüber hatten wir zuletzt gesprochen? Über Josef? Diese Trennung wollte wirklich ich. Es ist doch etwas anderes als eine Scheidung, wir können wieder zueinander finden, wenn dieser Wahnsinn endet. Mein Mann hat dem schließlich zugestimmt, und zwanzig Jahre nach meiner*

*Hochzeit mit Josef David haben wir uns im Februar 1942
amtlich getrennt. Josef hat sich zwar schon bald formal
gegenüber von unserer eine Wohnung angemietet, um gegenüber den Behörden sicher zu sein, aber tagsüber lebte
er mit uns zusammen. Věra und Helena wussten zunächst
nicht einmal, was zwischen uns geschehen war – warum
sie damit quälen, sie haben genug eigene Sorgen. Josef
kam zum Mittagessen aus dem Büro und abends ging er
wie immer auf ein Bier und dann zum Schlafen in seine
Wohnung. Es durfte uns nur niemand zusammen sehen.
Ja, die Trennung war mein Vorschlag. Aber vielleicht,
vielleicht, wenn Josef mit meiner Lösung nicht einverstan-
den gewesen wäre... ich wäre glücklich gewesen. Wir haben uns doch bei der Hochzeit versprochen, zusammenzu-
stehen – im Guten wie im Bösen. Zudem stammt er aus
einer katholischen Familie und seine Kirche erlaubt keine
Scheidung. Wahrscheinlich hätte ich sowieso meinen Kopf
durchgesetzt, ich war immer eine dickköpfige, starrsinnige
Frau, aber ich hätte trotzdem ein besseres Gefühl, wenn
er der Trennung nicht zugestimmt hätte. So zog sich die
Schlinge um meinen Hals immer mehr zu und begann,
mich zu würgen. Bereits in Prag fühlte ich mich als Jüdin
wie in einem Gefängnis, und wie erst hier im Ghetto. Aber
trotzdem ist hier alles so neu für mich, und deshalb interessant. Etwas kommt mir sogar besser vor als zu Hause.
Ich bin hier unter Gleichen. Zwar müssen wir auch hier
den gelben Stern auf der Kleidung tragen, aber hier tragen ihn alle und niemand schaut mich deshalb eigenartig
an. Andererseits verhalten sich uns Neuen gegenüber jene,
die vor mir hierher gekommen sind, irgendwie hochmütig.
Wir wissen nicht, wie das hier läuft, was man wo bekommt, haben noch nicht die nötigen Kontakte, die hier so
wichtig sind. Manche sind auch auf uns Neue wütend, weil
wir noch einen Monat oder mehr zu Hause in normalen
Betten schlafen konnten, uns nicht auf engen Gemein-
schaftslatrinen gedrängt haben, während sie... Ich muss*

die Zähne zusammenbeißen und kann nicht zeigen, wie traurig mich solche neidische Äußerungen machen. Zugleich macht es mir Spaß, so viele neue Menschen kennen zu lernen, mit so vielen Schicksalen wird man hier konfrontiert, lernt so unterschiedliche Menschen kennen. Natürlich sind nicht alle gut und liebenswert, man trifft hier auch auf Grobheit, Egoismus und Sittenlosigkeit. Und auf gemeinsam empfundenen Schrecken, der Feigheit hervorruft. Gebe Gott, dass ich ihr nicht verfalle. Angeblich muss ich vor allem an mich selbst denken, um hier zu überleben, natürlich liegt es ausschließlich in meiner Verantwortung, zu überleben, aber ich kann meine Nächsten lieben wie mich selbst und innerhalb dieser Gemeinschaft leben, auf keinen Fall an ihrem Rand.

Als unser Tranport aus Bohušovice in die Stadt kam, führten sie uns in die Schleuse in der Bodenbacher Kaserne, wo SS-Frauen unser Gepäck durchsuchten. Ich hatte Glück, sie haben mir nichts weggenommen. Sie werden Marienkäfer genannt, aber nicht, weil sie etwa an niedliche rote Käferchen mit sieben schwarzen Punkten erinnerten, sondern weil sie stehlen, wegnehmen. Marienkäfer...

Ich verbringe den ganzen Tag in den Kasernen, darf nirgends hin. Einstweilen warte ich, welche Arbeit mir zugeteilt wird. Ich könnte zum Beispiel in der Landwirtschaft arbeiten, außerhalb der Festung und zwischen ihren Schanzen sind Felder, auf denen alles Mögliche angebaut wir, Gemüse, Kartoffeln, es gibt auch Gewächshäuser, es wird Vieh gehalten. Aber in der Landwirtschaft arbeiten eher junge Mädchen und ich werde im Oktober fünfzig. Wenn sie mir nur bald eine Arbeit zuteilen...

Es kam ihr so vor, als würde Franz, ein wenig vornüber gebeugt, um sie besser sehen zu können, traurig lächeln.

... eher könnte ich Dir den Vorwurf machen, daß Du von den Juden die Du kennst (mich eingeschlossen) – es gibt andere! – eine viel zu gute Meinung hast, manchmal möchte ich sie eben als Juden (mich eingeschlossen) alle in die Schublade des Wäschekastens dort stopfen, dann warten, dann die Schublade ein wenig herausziehn, um nachzusehn, ob sie schon alle erstickt sind, wenn nicht, die Lade wieder hineinschieben und es so fortsetzen bis zum Ende.

FRANZ KAFKA AN MILENA JESENSKÁ,
13. 6. 1920[28]

Ottla rückte etwas näher zu ihm hin. Sie streckte die Hand aus, vielleicht dachte sie, ihn berühren zu können, aber ihre Hand stieß auf nichts Greifbares. Wahrscheinlich ist er ein Schritt zurückgetreten, dachte sie. Dann sagte sie: *Franz, in so eine Kommodenschublade bin ich schon geraten. Wie anders könnte man das Ghetto Theresienstadt nennen, wo wir zusammengepfercht sind wie Sardinen... Selbst um den eigenen Hof, genauer gesagt den Kasernenhof zu betreten, brauche ich einen Passierschein. Aber du siehst, ich beschwere mich nicht, das Leben muss weitergehen... Vielleicht erhalte ich gerade hier die Chance, etwas fertigzubringen, das meinem Leben Sinn gibt. Das Leben hat doch unter allen Umständen einen Sinn, oder?*

Aber du weißt ja, wie viele Pläne wir für die Zukunft gemacht haben, als du noch bei uns warst. Du wolltest Schriftsteller sein, nichts anderes hatte für dich Sinn, aber wir wollten auch zusammen nach Palästina gehen und uns dort nützlich machen. Ich habe zwar in Friedland auf der Landwirtschaftsschule die Abschlussprüfungen abgelegt, aber dann geheiratet, Věra und Helena zur Welt gebracht und bin zu einer gewöhnlichen Hausfrau geworden. So habe ich den Erwartungen entsprochen, die unsere Eltern an mich hatten. Auch wenn Vater meine Heirat dir gegenüber nicht gebilligt hat, meine beiden Mädchen hat er ge-

liebt. Daran muss ich dich doch nicht erinnern. Ich habe den Haushalt geführt, die Kinder erzogen, mich um meinen Mann gekümmert. Trotzdem habe ich mich gelegentlich gefragt, ob das nicht zu wenig ist. Vielleicht habe ich die wichtigste Prüfung meines Lebens hier zu bestehen?

Betreuung der Kinder

Als Ende 1941 die ersten Häftlingstransporte in Theresienstadt eintrafen, lebte in dem Festungsstädtchen noch die ursprüngliche Zivilbevölkerung. Der Raum für die Deportierten war wesentlich beschränkter, denn für sie standen nur einige Kasernen zur Verfügung, die sofort unerträglich überfüllt waren. Die Häftlinge sollten von den Ariern separiert sein, es war ihnen verboten, mit der Zivilbevölkerung in Kontakt zu treten. Kinder unter zwölf Jahren, die stets mit einem Elternteil untergebracht wurden, durften die Unterkünfte nicht verlassen. Den anderen Elternteil sahen sie nur in den wenigen kostbaren Momenten, zu denen Besuche gestattet waren. Oft wurden Ausgänge unter verschiedensten Vorwänden untersagt, sei es wegen der Befürchtung einer Ausbreitung von Scharlach, aus irgendeinem anderen Grund, oder einfach nur, um den Häftlingen das Leben schwerer zu machen. Wenn die Eltern zur Arbeit gingen, blieben die Kinder ohne Aufsicht. Der jüdische Ältestenrat war sich von Anfang an bewusst, dass dieser Zustand vollkommen untragbar war und hat versucht, für die Kinder eigene Unterkünfte mit pädagogischer Betreuung einzurichten – Kinderheime. Dort sollten sie vor dem negativen Einfluss des Ghettos beschützt werden. Otto Zucker, Stellvertreter des Vorsitzenden des Ältestenrates Jakob Edelstein, schrieb in seinem Theresienstadter Jahresbericht:

Ein Teil der Jugend, vor allem die unter Zwölfjährigen, lebte mit einem der Elternteile. Jungen im Alter von 12–16 Jahren waren in den Kasernen in Kinderheimen untergebracht, ausgegliedert in eigenen Räumen, damit sie besser betreut werden konnten, da ihre Eltern den ganzen Tag arbeiteten und sich deshalb nicht um die Kinder kümmern konnten. So entstand das erste Knabenheim in der Sudetenkaserne, es folgten weitere.[16]

Obwohl sie ihre Lebensumstände verbesserte, konnten sich die Kinder mit der eingetretenen Situation zunächst nur schwer abfinden.

Es ist zwar sehr hübsch hier, aber ich habe furchtbare Sehnsucht. Ich weiß, dass das dumm ist, notiert die dreizehnjährige Helga Weissová in ihrem Tagebuch, *wo Mama doch nur ein Stockwerk höher wohnt. Tagsüber ist es hier sehr lustig, wir sind alle gleich alt, lernen gemeinsam und spielen in der Freizeit. Abwechselnd machen wir in den Zimmern Ordnung, „Zimmertour" oder „Toramut", wie wir sagen. Wir essen gemeinsam am Tisch, machen uns schöne gemeinsame Schlafplätze, immer zwei und zwei, ich zusammen mit Dita, sie schläft neben mir, und jetzt werden sie uns sogar noch Pritschen bauen. Kurz, es ist hier alles viel besser als in den anderen Unterkünften, wenn da nicht diese ständige Sehnsucht wäre.*[17]

Am 1. Juli 1942 wurde die Zivilbevölkerung ausgesiedelt und Theresienstadt vollständig als Sammellager genutzt. Die Situation verbesserte sich dadurch zunächst in mehrfacher Hinsicht, denn nun konnte die ganze Stadt für Unterkünfte genutzt werden. Die Häftlinge wurden nicht mehr von bewaffneter deutscher Polizei bewacht, stattdessen wurde eine jüdische Ghettowache gebildet, die zusammen mit tschechischen Gendarmen für Ordnung und die Einhaltung der Vorschriften sorgte. Mit bestimmten Ausnahmen konnten sich die Juden innerhalb der Stadt frei bewegen, getrennte Familien hatten die Möglichkeit, sich außerhalb der Arbeitszeit zu treffen. Kinder und Jugendliche aus den bisherigen Kinderheim-Bereichen in den Kasernen wurden umgesiedelt in eigene Gebäude, die allein ihnen vorbehalten waren.

Das erste tschechische Knabenheim mit der Bezeichnung L 417 wurde am 8. Juli 1942 gegründet, als 370 Jungen aus der Sudetenkaserne und weiteren Objekten dorthin

umzogen. Heim L 417 befand sich in der vierten Längs-
straße L – Lange Straße im Haus Nr. 17, so entstand der
allgemein gebräuchliche Name L 417. Vor dem Krieg war
hier eine zivile Schule, und so hielt sich im Ghetto unter
den Häftlingen auch die Bezeichnung *Schule*.

Schon bald richtete der Ältestenrat weitere solcher Heime
ein: für tschechische Mädchen L 410, für deutsche und
österreichische Jugend L 414, Jugendlichen bis achtzehn
Jahre standen die Lehrlingsheime Q 609, Q 706 bis 710
oder L 218 zur Verfügung. Die Heimleitungen unterstan-
den der Jugendfürsorge und diese Abteilung wiederum
dem jüdischen Ältestenrat. In den Heimen entstanden au-
tonome Einheiten, nach den Zimmernummern. In L 417
waren es zunächst zehn, später verringerte sich ihre Zahl
auf sieben. Einige von ihnen sind gut dokumentiert, wir
kennen die Erzieher, die Namen vieler Jungen, Zeitschriften, die sie herausgegeben haben.

Unter die Gesundheitsabteilung der jüdischen Selbstverwaltung fielen die Heime für Kleinkinder und Säuglinge,
wo Kinder bis drei oder vier Jahre untergebracht wurden.
Das Personal bestand aus qualifizierten Ärzten und Krankenschwestern.

Das Knabenheim L 417 wurde geleitet von Otto Klein,
Spitzname Otík, Luisa Fischer war Leiterin der Sozialar-
beiter, die Verwaltung des Objekts war Leo Demmer an-
vertraut. Den illegalen Unterricht der Kinder organisierte
Bruno Zwicker. Den Erinnerungen der Überlebenden
Michaela Vidláková, Irene Seidlerová und weiterer Zeit-
zeugen zufolge wirkten in L 417 im Einzelnen: J. Kőnig in
Zimmer Nr. 6, František Meyer in Nr. 7, Arna Ehrlich
(Vertreterin von Avi Fischer) in Nr. 9, ihr Namensvetter
Ehrlich, genannt Zebulon, in Nr. 10, in Nr. 1 Valtr Eisin-
ger, in Nr. 2 Rudolf Weiss in Zimmer 5(?) Arnošt Klauber,
genannt Šmudla. Nr. 4 war Turnraum, nach abgegange-
nen Transporten wurde er nicht mehr benutzt und im

Rahmen der Verschönerungsaktion für die Kommission des Internationalen Roten Kreuzes in ein Spielzimmer umgewandelt, mit herrlichen Wanddekorationen, wahrscheinlich von Aliza Scheck. Nr. 3 war die Unterkunft der Erzieher. Von den Betreuern erinnern sich die Zeitzeugen an Jiří Frischmann-Franěk, Trude Triedr, die sich später um die Kinder aus Białystok kümmerte und mit ihnen, genau wie Ottla David, nach Auschwitz deportiert wurde, an Alice Munk, J. Wachtl, Věra Schlesinger und an Marie Mautner. Irena Seidlerová fungierte als Lehrbetreuerin, also als Lehrerin. Weitere Lehrer in L 417 waren Bruno Zwicker, Prof. Kohn (Koníček), Franta Graus und Egon Eisinger-Sisek. Zu den Lehrern gehörten auch Viktor Artler, die Professoren Stein und Lederer. In der Sozialabteilung des Heimes arbeitete unendlich aufopferungsvoll die leitende Schwester Luisa (Lola) Fischer, einst Sekretärin von Alice Masaryk, Vormund der Theresienstadter Waisenkinder, die den Kindern verschaffte, was immer in ihrer Macht stand, einschließlich Pflegeeltern.[18]

Die Abteilung Jugendfürsorge unter der Leitung von Gonda Redlich und seinen beiden Stellvertretern Fredy Hirsch und Fritz Pragr kümmerte sich Ende des Jahres 1942 um 3.541 Kinder und Jugendliche. In den Kinderheimen waren etwa 2.000 untergebracht, rund 1.400 lebten bei Eltern und Verwandten. Es gab an die dreihundert Erzieherinnen und Erzieher, vielleicht wird Ottla David auch deshalb weder in diesem Bericht noch in anderen erwähnt. Sie mag bei jüngeren Kindern eingesetzt gewesen sein, deren Betreuung nicht so aufwändig war, wie bei den Jugendlichen, die eigene Zeitschriften herausgaben, Gedichte schrieben und ein ergreifendes Zeugnis hinterließen.

In den Zimmern der Heime gab es nicht viel ungenutzten Raum. Den meisten Platz nahmen die Etagenbetten ein, jeweils drei übereinander. Jedes Zimmer hatte seinen Leiter und Betreuer, und abhängig von seiner Orientierung lief die Erziehung und Bildung der Kinder ab: im zionistischen, assimilierten oder linken bis kommunistischen Geiste. Leidenschaftliche Debatten zwischen Vertretern der unterschiedlichen Ideologien, auch Streit und Rankūne waren an der Tagesordnung. Alle waren von ihrer Wahrheit überzeugt. In Einem jedoch waren sich alle Erzieher einig: Die Kinder, die die Hoffnung verkörperten, mussten überleben. Sie mussten überleben, weil alle die Hoffnung auf eine Zukunft in sie setzten. Sie sollten nach Möglichkeit überleben, ohne dass die verdrehten Lebensumstände im Ghetto aus ihnen Egoisten, Diebe und Lügner machten.

Im Heim war eine feste Ordnung eingeführt. Wecken um 6:45 Uhr, bis 8:45 fand persönliche Hygiene und Frühstück statt, bis neun Uhr dann ein Morgenappell mit Kontrolle der Reinlichkeit. Das Vormittagsprogramm dauerte bis zwölf Uhr, es folgte das Mittagessen. Aus den Küchen wurden große Kochkisten gebracht. Die Kinder kamen mit ihrer eigenen Essschüssel und ihrem Essensgutschein. Kleineren Kindern wurde das Essen in ihre Zimmer gebracht. Das war ein verantwortungsvoller Dienst, denn auf dem Weg durfte nichts von der kostbaren Mahlzeit verschüttet werden. Es folgte Mittagsruhe bis 14 Uhr, darauf der zweite Appell und die Nachmittagsbeschäftigung, die um 17 Uhr endete. Nach dem Abendessen hatten die Jungen bis 20 Uhr Freizeit. Bis zehn Uhr abends, wenn die Nachtruhe verkündet wurde, fand das Abendprogramm statt und dann das Waschen. Bestandteil des Vormittags- und des Nachmittagsprogramms war heimlicher Unterricht, denn die Deutschen hatten die Unterrichtung der Kinder verboten. Unten im Gebäude patrouillierte dann stets ein Wachdienst, der rechtzeitig ein Warnsignal gab, wenn sich eine Kontrolle näherte.

Meine Liebe zu euch bewirkt, dass ich alle Kinder gern habe, sie verstehe, und ihre Vergehen mit etwa dem gleichen Maß messe das ich bei euch anlege.

OTTLA DAVID AN IHRE TÖCHTER[19]

Gebäude des Knabenheims in L 417, Ansichtskarte 1909

Sagen wir, Ottla hatte Glück, als Pflegerin, Betreuerin, wie gesagt wurde, ins Kinderheim zu kommen. Der Umstand, mit Kindern arbeiten zu dürfen, war für sie ein Gewinn. Offizielle Aufgabe der Erzieher war, über Ruhe und Ordnung im Heim zu wachen, tatsächlich aber leisteten sie viel mehr. Es war ein psychisch anstrengender Dienst, aber körperlich nicht aufreibend. Vor allem war es eine Tätigkeit, die sinnvoll war. Im Vergleich mit den anderen Häftlingen war zudem die Ernährung besser, denn die jüdische Ghettoleitung versuchte alles, um für die Kinder die unter den gegebenen Umständen bestmöglichen Lebensbedingungen zu schaffen.

Die ihr anvertrauten Jungen liebten Ottla, weil sie spürten, dass sie von ihr geliebt wurden. Wahrscheinlich hat keiner der Jungen aus ihrem Zimmer den Krieg überlebt.

*Es ist keine Widerlegung der Vorahnung einer endgülti-
gen Befreiung, wenn am nächsten Tag die Gefangenschaft
noch unverändert bleibt oder gar sich verschärft oder,
selbst wenn ausdrücklich erklärt wird, daß sie niemals
aufhören soll. Alles das kann vielmehr notwendige Voraussetzung der endgültigen Befreiung sein.*

*Bei keiner Gelegenheit ist er ausreichend vorbereitet,
aber er kann sich deswegen nicht einmal Vorwürfe machen, denn wo könnte er in diesem Leben, das in jedem
Augenblick so peinigend Bereitschaft verlangt, Zeit zur
Vorbereitung finden...*

FRANZ KAFKA, TAGEBÜCHER, 9. 1. 1920[10]

Ottla und Felix

Doktor Felix Herškovic diente in Theresienstadt in jener Einrichtung als Arzt, in der Ottla Pflegerin war.

Ich schmücke ihre Welt im Kinderheim mit weiteren Figuren aus.

Der achtjährige Samuel Liebscher klagte seit dem Morgen über Bauchschmerzen, was zwar unter den Bedingungen des Ghettos Theresienstadt nichts Ungewöhnliches war, aber es konnte auch Anzeichen einer schwerwiegenden Krankheit sein, die sich auf das ganze Kollektiv hätte ausbreiten können. Ottla lässt Doktor Herškovic rufen. Šmulik Liebscher war ein für sein Alter sehr kleiner jüdischer Junge, mit riesigen dunklen Augen, abstehenden Ohren und stets halbgeöffnetem Mund. Er war Waise, und Ottla ersetzte ihm die ermordete Verwandtschaft. Alle Jungen hatten ihre Betreuerin gern, aber für Samuel war sie noch etwas mehr. Er war der Kleinste und Dünnste aus dem ganzen Zimmer, also musste er pfiffig sein, um sich von seinen Mitbewohnern wenigstens etwas Respekt zu erwerben und nicht ständig das Ziel von Scherzen zu sein.

Während der Arzt den kranken Šmulik untersuchte, wartete Ottla in ihrem Kämmerchen, dass ihr zugleich als Büro und als Wohnzimmer diente, auf das Urteil Herškovics. Dass sie für sich allein ein Miniaturzimmerchen zur Verfügung hatte, könnte als weiterer Erfolg Ottlas angesehen werden, obwohl sie sich in keiner Weise darum bemüht hatte. Nicht nur einmal erhielt sie den Rat, häufiger auf die Tatsache hinzuweisen, die Schwester Franz Kafkas zu sein – sie könne in den Kreis der Privilegierten aufsteigen, denen es im Ghetto spürbar besser gehe als den gewöhnlichen Häftlingen. Aber genau das wollte sie nicht. Und was Franz betraf, war sie sich sicher, dass er der Letzte gewesen wäre, der irgendwelche Privilegien beanspruchen würde. Ihm wäre übrigens nicht einmal eingefallen, dass er auf irgendwelche Anspruch hätte.

Eine hübsche Anmerkung zu meiner jüngsten Schwester: Wie Du weißt, liebt sie mich sehr; ohne Zögern bewertet sie alles, was ich sage, tue oder denke als gut, aber außerdem hat sie so viel eigenen Sinn für Humor, daß sie gleichzeitig ein wenig über mich und natürlich über sich selbst lachen kann (denn sie ist immer auf meiner Seite).

FRANZ KAFKA AN FELICE BAUER, 1913[5]

„Nach Bauchtyphus sieht es nicht aus. Šmulik hat nur erhöhte Temperatur. Meiner Meinung nach sind es die Nerven. Ist ihm etwas passiert?" fragte Doktor Herškovic und setzte sich auf den einzigen wackligen Stuhl, der in dem Kämmerchen stand. Ottla setzte sich auf das Bett, lehnte sich zurück an die Wand und glättete ihre schneeweiße Schürze über den Knien. Gerade wegen der Jungen versuchte sie immer ordentlich und sauber zu erscheinen, auch wenn das nicht wenig Mühe kostete. Die hygienischen Bedingungen in den Heimen waren immerhin ein wenig erträglicher als in den überfüllten Kasernenblöcken.

„Meinen Sie, außer dass er in Theresienstadt eingesperrt ist und seine Eltern verloren hat?"

Der Doktor winkte ab. „Das kann mich schon nicht mehr beeindrucken, verehrtc Dame. Ich meine, ob ihm die Jungen nicht irgendwie Leid zugefügt haben."

Ottla sagte, sie würden es nicht wagen, in ihrer Gegenwart miteinander zu raufen oder grob zueinander zu sein, aber sie sei ja nicht den ganzen Tag bei ihnen. Aber sie könne Dita fragen, mit der sie sich abwechselte. Edita war ein hübsches sechzehnjähriges Mädchen, das bereits Anfang 1942 nach Theresienstadt gekommen war. Sie arbeitete in der Putzkolonne, kam dann ins Mädchenheim. Als man sie zur Arbeit schicken wollte, bat sie Ottla, sie als Hilfskraft zu sich zu nehmen. Sie sagte, das sei besser, als irgendwo Glimmer zu spalten, sich in einer Werkstatt abzuplagen oder irgendwo in der Landwirtschaft Gemüse zu hacken. Erstaunlicherweise wurde Ditas Bitte entsprochen. Dita wusste von nichts Außergewöhnlichem, das in den letzten Tagen passiert wäre. Aber auch ihr war aufgefallen, dass es Šmulik nicht gut ging. Sie fragte, ob sie ihn aus dem Krankenzimmer bringen solle. Ottla sah den Arzt an, und er nickte. Aber Dita ging nicht. Sie trat in der Tür von einem Bein aufs andere.

„Frau Ottla, ich hätte gern am Nachmittag frei. Ich habe nämlich… ein Rendezvous. Ervín würde mich heiraten…" Sie rieb sich die Hände und sah verlegen zu Boden.

„Geh nur", sagte Ottla, „aber jetzt hol den Jungen."

Als sie die Tür geschlossen hatte, hob Herškovic vielsagend eine Augenbraue: „Sie hat ein Rendezvous."

Ottla lächelte. „Warum denn nicht? Das Leben ist doch hier nicht zu Ende."

„Solange es andauert, ist es tatsächlich nicht zu Ende. Allerdings die erste pubertäre Liebe ausgerechnet hier zu erleben… Na ja, warum nicht, wenn es nicht anders geht", murmelte er etwas rätselhaft. „Ich habe gehört, dass sich Liebespaare unter dem Irrenhaus bei der Kavalierskaserne treffen. Stellen Sie sich dieses Paradox vor. Während sie Liebesschwüre flüstern, schreien die Wahnsinnigen über ihnen in Agonie."

Bevor Ottla etwas erwidern konnte, betrat Šmulik verlegen den Raum. Beim Anblick des Doktors weiteten sich seine Augen vor Überraschung. Ottla zog den Jungen zu sich heran und berührte seine kurz geschnittenen Haare mit den Lippen.

„Der Herr Doktor sagt, dass es nichts Ernstes sei bei dir, aber er wüsste gern, ob dir nichts Schlimmes passiert ist und du deshalb Fieber bekommen hast. Ich weiß, dass ihr alles andere als Engel seid, ich kann ein Auge zudrücken, wenn ihr miteinander rauft. Aber wenn dir jemand etwas getan hat…"

Šmulik piepste mit schwacher Stimme wenig überzeugend, es sei nichts passiert.

Ottla ließ sich nicht täuschen und fragte nachdrücklich: „Wovor hast du Angst?"

„Ich? Vor gar nichts."

Doktor Herškovic räusperte sich hörbar und sagte ganz ernst, in diesem Fall müsse er ihn zu einer gründlicheren Untersuchung ins Krankenhaus bringen, das könne eine Woche und länger dauern, und man würde ihm Blut abnehmen müssen. Das erschreckte Samuel noch mehr.

„Mir geht es gleich wieder gut, Kapitän", platzte er in Ottlas Richtung heraus.

„Wer ist hier Kapitän?" fragte der Doktor.

Ottla lächelte. „Damit meint er mich."

„Aha", sagte Felix. „Also? Samuel was machen wir jetzt mit dir?"

Der kleine Kerl trat von einem Bein aufs andere und steckte sogar seinen kleinen Finger in die Nase.

„Aus meinem Koffer ist mein Kompass verschwunden", brachte er mühsam hervor.

Herškovic rief scheinbar wütend: „Willst du mich auf den Arm nehmen? Wo willst du denn hier einen Kompass aufgetrieben haben? Hast du ihn etwa jemandem gemopst?"

Der Junge schaute verzweifelt seine Betreuerin an, als würde er bei ihr Hilfe suchen. Ottla bestätigte, dass Samuel Liebscher tatsächlich einen echten Militärkompass besaß. Der Doktor schürzte anerkennend die Lippen und fuhr sich mit den Fingernägeln durch die Bartstoppeln am Kinn. Er hatte sich morgens nicht rasieren können und sein Bart fing an zu jucken.

„Das ist aber eine Kostbarkeit. Kannst du überhaupt damit umgehen?"

Šmulik nickte einige Male. „Der schwarze Zeiger zeigt nach Norden. Und Jerusalem ist südöstlich."

Herškovic stieß bewundernd einen Pfiff aus. „Und plötzlich ist dein Kompass verschwunden. Hattest du ihn im Koffer oder auf dem Bord beim Bett?"

„Im Koffer. Ich habe dort alle Dinge bereit, wenn ich in den Transport gehe."

Ottla seufzte tief. Felix sah zunächst sie an und dann den Jungen. „Moment mal, Šmulik, du sollst in einen Transport gehen? Haben sie dir einen Zettel gegeben?"

„Nein, aber vielleicht wählen sie mich aus, schließlich kann ich mich auf einer Landkarte orientieren. Und ich habe auch ein Klappmesser, kann fünfzig Kniebeugen und spiele Fußball für unser Zimmer. Auch wenn ich bis jetzt nur auf der Bank sitze. Und morgens fange ich zwanzig Flöhe."

Der Doktor stichelte, er kenne einen Champion, der achtundzwanzig fange. Die Patienten prahlten bei ihm mit allem Möglichem, und Flöhe fangen war eine beliebte Unterhaltung für Kinder. Mit Wanzen war es schon schlimmer, denn die stanken furchtbar, wenn man sie zerquetschte. Mit Flöhen hatte man wenigstens Spaß.

„Aber ich bin acht", verteidigte sich Šmulik.

„Das musst du mir erklären, warum ein achtjähriger Junge sich auf den Transport freut", forschte Herškovic.

Šmulik gestand, dass es ihm hier nicht gefiel. „Hier ist es furchtbar langweilig... und ohne diesen Kompass..."

Ottla wartete nicht, bis er zu Weinen anfing. Sie packte ihn an den Schultern und versprach, sie werde den Kompass sicher finden.

Šmulik lächelte ungläubig. Dann nahm er Ottlas Hand und hob den Kopf zu ihr.

„Von hier aus fahren die Transporte nach Polen, nicht wahr?"

Ottla nickte unsicher.

„Hat Polen Inseln?"

„Ich glaube nicht", antwortete sie.

Der Junge runzelte die Stirn.

„Das ist seltsam. Aber es hat Meer, oder?"

„Sicher", sagte Herškovic ernst. „Die Ostsee."

„Dann schiffen sie uns in irgendeinem Hafen ein und wir fahren zu dieser geheimnisvollen Insel" verkündete er zuversichtlich. „Ich freue mich schon auf diese Reise. Ich war noch nie auf einem Schiff und mit dem Zug bin ich nur einmal im Leben gefahren. Hierher..." Er schloss die Augen, als träume er von etwas. „Ich werde in einem schönen Abteil sitzen und die Landschaft betrachten, durch die wir fahren. Nach dem Kompass werde ich genau wissen, wohin wir fahren. Zum Meer."

Sobald sich hinter Samuel die Tür geschlossen hatte, breitete Felix die Arme aus, beugte den Kopf nach rechts und sagte Ottla, sie schulde ihm eine Erklärung. Ein Kompass in Theresienstadt, meinetwegen, die Schleuse passiert mit etwas Glück alles Mögliche und die Gendarmen bringen auch gelegentlich interessante Dinge mit, aber dass sich ein achtjähriger Junge auf den Transport freut, geht über den gesunden Menschenverstand. Etwas so Dummes hatte er noch nicht erlebt.

„Und wer ist dieser Kapitän, Frau Ottla?"

Ottla stand vom Bett auf, glättete sich wieder die weiße Schürze und bot Herškovic echten Bohnenkaffee an. Den hatte er ihr vor kurzem übrigens selbst als große Kostbarkeit gebracht. Es hätte sie interessiert, wie er daran gekommen war, aber sie fragte nicht, um ihn nicht versehentlich in Verlegenheit zu bringen. Erfahrene Häftlinge von Theresienstadt kannten schon einige Wege, um an diese oder jene Güter heranzukommen.

„Vielleicht bin ich verrückt", sagte sie und holte die sorgfältig versteckte Heizspirale heraus, die sie heimlich besaß, und tauchte sie in einen Becher mit Wasser. Die Verwendung solcher elektrischer Geräte war erneut streng verboten worden, es drohte Gefängnis oder sogar die Einreihung in den nächsten Transport. „Die Jungs nennen mich Kapitän und ich erzähle ihnen die Geschichte von Robinson auf der einsamen Insel, dazu mische ich noch Indianerabenteuer, Groschenromane, Jules Verne… *Zwei Jahre Ferien* – über schiffbrüchige Jungen wie sie selbst."

„Sie sind verrückt, Ottla. Und dieser Transport? Der bringt sie auf jene geheimnisvolle öde Insel, wo Šmulik dank Kompass und Taschenmesser zum großen Helden wird? Soll das dieses Madagaskar sein, wo uns Hitler internieren wollte?"

Sie erwiderte, den Jungs gefalle die Vorstellung eines zweijährigen Urlaubs sehr.

Felix Herškovic schlug seine Hände vors Gesicht. „Ihr Wasser kocht schon. Also der Transport als Beginn eines wunderbaren Abenteuers. Zwei Jahre Ferien... Warum sprechen Sie überhaupt mit ihnen über die Transporte?"

„Wie könnte ich darüber schweigen, wo sie doch sehen, wie ihre Kameraden wegfahren? Können Sie sich die Abschiede vorstellen, wenn einige von ihnen fahren müssen? Sie sind es aus dem Krankenhaus gewohnt, dass sich in den Krankenzimmern unentwegt Ihre Patienten abwechseln, aber die meinen sind meine Familie. Sie haben Ohren und hören, dass hier über nichts anderes gesprochen wird als wann der nächste Transport abgehen, wie viele Menschen er wegbringen wird, wer auf der Liste steht... Auch Kinder werden nicht verschont. Ich kann sie nicht anlügen. Ich kann alles ertragen, aber Lügen nicht."

Der Arzt lächelte bitter. „Und Ihr Märchen über die Robinsons auf der Insel ist keine Lüge?"

Ottla winkte energisch ab. „Sie haben keinen Funken Phantasie. Haben die Deutschen nicht 1939 den Juden versprochen, nach Madagaskar, Uganda, Shanghai oder irgendwo nach Lateinamerika ausreisen zu dürfen? Was wissen Sie denn, wie das da im Osten ist?"

Herškovic machte ein finsteres Gesicht. „Nun, exotische Ferien werden es nicht sein. Erinnern Sie sich an den Witz, der Ende der Dreißigerjahre erzählt wurde?

Kohn kommt in ein Geschäft und lässt sich einen Globus zeigen, um ein Land auszuwählen, in das er vor Hitler flüchten kann. Er betrachtet die Erdkugel, dreht und dreht sie, schüttelt dann den Kopf und fragt die Verkäuferin: Haben Sie nicht irgendein anderes Modell?"

Er brummte etwas Unverständliches, wahrscheinlich etwas Vulgäres, das er vor Ottla nicht laut aussprechen wollte. „Die ganze Welt war auf einmal zu klein, um uns Juden die Türen zu öffnen. Irgendwann werden sie sich schämen dafür – wenn es dann nicht schon zu spät ist."

Aus dem Kinderzimmer, von wo bis jetzt nur ab und zu die monotone Stimme der Hilfskraft Tauba Feigel zu hören gewesen war, erklangen auf einmal Schreie und Beschimpfungen. Dann eine strenge Ermahnung der Betreuerin. Die Jungen ignorierten das und schrien noch mehr.

Herškovic rieb sich nachdenklich das Kinn. „Am schlimmsten von allem ist, dass die Kinder aufhören, Kinder zu sein. Sicher, sie verhalten sich immer noch so, machen Unsinn, prügeln sich untereinander, aber die Deutschen haben ihnen ihre wirkliche Kindheit genommen. Sie sehen hier um sich herum Dinge, die sie überhaupt nicht sehen sollten. Sterben, resignierte Wracks alter Menschen, die um ihre Portion abscheulicher Suppe bitten, an Hunger sterbende Bettler. Den verzweifelten Kampf ums Überleben. Betrug, Diebstahl, Schikanen, Prostitution…"

Sie unterbrach ihn. „Gerade davor versuche ich sie zu bewahren."

Felix trank seinen Kaffee, schluckte vorsichtig, denn er war sehr heiß.

„Vielleicht ist das die richtige Taktik, aber vielleicht auch nicht."

Ottla lächelte. „Franz hat mich in einem Brief einmal seine *kleine Wohltätigkeitseinrichtung* genannt. Als ob er gewusst hätte, was mir bevorsteht. Ist das nicht reizend? Ach was! Alle Erzieher hier im Heim zeigen den Kindern irgendeine Lebensperspektive auf."

„Ich weiß. In Zimmer eins die kommunistische, woanders die zionistische, und Sie zeigen die kindliche. Oder sollte ich sagen die märchenhafte?"

„Es sind doch Kinder. Zudem habe ich mich um die kleineren zu kümmern. Aber auch diese Jungs haben bereits Verstand."

„Ja, daran besteht kein Zweifel", stimmte er zu, „sie sind vorzeitig erwachsen und ahnen mehr, als sie zugeben. Sie sind wirklich in keinem Elfenbeinturm eingeschlossen, auch wenn wir uns das sehr wünschen würden. Wenn sie den Transport antreten, erwartet sie keine geheimnisvolle Insel voller Abenteuer."

„Niemand weiß, was sie erwartet", flüsterte sie. „Wissen Sie vielleicht, was dort geschieht... im Osten?"

Er schlug sich auf die Schenkel und hob die Stimme. „Dort ist es Juden nie gut gegangen, also kann es jetzt nicht besser sein." Er schwieg einen Moment lang. „Als es in Europa hart zu werden begann und die Vorausschauenden einen sicheren Hafen suchten, wollte niemand Juden aufnehmen! Hier in der Tschechoslowakei war es nicht besser. Die Tschechen protestierten schon, als die Unseren nach 1933 nach Hitlers Machtergreifung aus Deutschland zu fliehen begannen, nach dem *Anschluss* schimpften sie über die österreichischen Juden, die bei uns Schutz suchen wollten, holten sie an den Grenzen aus den Zügen und übergaben sie den Nazis. Anderswo in der Welt war es noch schlimmer. Überall Quoten, Schwierigkeiten bei der Erteilung von Visa. Und wenn sie erteilt wurden, dann verlangte man dafür horrende Summen, orientiert an dem verfestigten Klischee, alle Juden hätten Geld wie Rothschild. Das muss ich Ihnen doch nicht erklären. Aber Sie haben Recht, der Fall hier ist anders. Übrigens, haben Sie die Emigration etwa nicht in Erwägung gezogen, als das noch halbwegs möglich war? Soweit ich weiß, haben Sie doch Verwandte in der Welt. Der Bruder Ihrer Mutter... Hätten sie denn nicht geholfen? Oder leben sie schon nicht mehr?"

Ottla sah ihn scharf an. „Und warum sind Sie nicht gegangen, wenn Ihnen alles so klar war?"

„Aus sträflicher Bequemlichkeit", er hob die Hände. „Aus gewöhnlicher Faulheit. Ich kann mich nicht herausreden, dass wegen meiner alten Eltern, sie sind schon lange gestorben. Aber Sie haben doch Familie."

„Allerdings", sagte Ottla. „Mein Mann ist Patriot und Tscheche. Er hat eine gute Stelle und kann sich gut um die Mädchen kümmern. Eine ausgezeichnete Stelle. Er hat nicht in Betracht gezogen, zu gehen."

„Also haben Sie gar nicht darüber nachgedacht." Herškovic erwartete nicht, dass Ottla etwas anderes antworten würde. Es war klar.

„Ich musste eine andere Lösung finden, um meine Familie zu schützen."

Der Doktor hob vielsagend die Augenbrauen. „Sie? Warum Sie und nicht Ihr Mann?"

„Warum ich? Ich war doch als Jüdin die Ursache von allem."

Er schüttelte wütend den Kopf. „So nehmen sie auch noch die Schuld auf sich. Wie in der Anekdote, dass an allem die Juden und die Radfahrer Schuld seien."

„Ich rede nicht von Schuld, aber von der Ursache", sagte sie leise und versuchte, das Thema zu wechseln. „Ich versuche, die Jungen bei guter Laune zu halten."

„Sind Sie so optimistisch oder sind Sie so naiv?"

„Ich bin eine ungebildete Frau, die fünfzig Jahre gewöhnlichen Lebens hinter sich hat. Was erwarten Sie überhaupt von mir? Was sollte ich Ihrer Meinung nach tun?"

Herškovic schwieg. Auf eine solche Frage konnte er nicht antworten.

„Sie wollen wissen, wie das mit den Transporten nach Osten ist, Frau Ottla?" kehrte er zu der früheren Frage zurück. „Entschieden schlimmer als hier. Unvergleichbar schlimmer. Und hier – Sie wissen ja selbst genau, wie man hier lebt, auch wenn Sie unter ihren Schlingeln immerhin vor der unmittelbaren Konfrontation mit der Alltagsrealität bewahrt sind. Sie sehen keine Alten an Unterernährung sterben, Sie wissen nicht, unter welchen Bedingungen Tausende vegetieren. Wahrscheinlich fragt Sie keiner von den erbärmlich getäuschten deutschen Juden, die sie vor kurzem hierhergebracht haben, ob Sie nicht ein wenig Suppe übrig haben oder einen trockenen Brotkrusten. Sie haben ihnen tatsächlich erzählt, Theresienstadt sei ein Kurort wie Karlsbad und sie erhielten hier als prominente Gäste Pflege. Dafür haben sie extra bezahlt."

„Sie tun mir Unrecht, ich bin nicht blind. Ich komme auch nach draußen auf die Straßen."

„Aber nein. Sie haben keine Ahnung, welcher Frost im Winter auf den Dachböden herrscht, wo sie kein Holz zum Heizen haben. Sie wissen nicht, was sich in den Schlangen zur Essensausgabe tut, das Herumstoßen, Vordrängeln, um etwas dickere Suppe vom Grund des Topfes zu bekommen, Diebstahl, Schiebungen, Bestechungen, was ausbricht, wenn ein Transport zusammengestellt wird. Nein, Sie laufen mit weißer, gestärkter Schürze herum und haben dank der Kinder eine bessere Essenszuteilung…"

„Genug jetzt, Felix", protestierte Ottla gekränkt. „Ich bin nicht naiv und ich verschließe auch nicht die Augen vor der Realität."

„Was können Sie wissen? Am ehesten erschrecken Sie die Nachrichten aus dem Tagebefehl." Er kniff die Augen zusammen und wechselte zu einem amtlichen Tonfall. „Hermann Weiß verurteilt zu zwanzig Tagen Gefängnis wegen Übertretung des Verbots, zu rauchen. Milan Seger verurteilt zu drei Monaten Gefängnis wegen Diebstahls von Äpfeln und Birnen. Jarmila Blažková erhält vierzehn Tage Gefängnis, weil sie während der Arbeitszeit ihren Freund besuchte. Aber das, Ottla, was in den Tagesbefehlen überhaupt nicht erwähnt wird, ist unvergleichlich erschreckender. Natürlich denke ich an das, was die Deutschen mit uns vorhaben."

„Was wollen Sie eigentlich von mir? Warum quälen Sie mich?"

„Ich weiß es wirklich nicht", sagte er auf einmal aufrichtig und rieb sich verlegen das Kinn. „Aber Sie sollten sich eher selbst fragen, was Sie wollen."

„Was ich will?

„Ja sicher, Sie, Ottla."

„Sie würden von mir bestimmt gern große Worte hören, tiefgründige Gedanken", seufzte sie und zuckte mit den Schultern. „Aber ich... Ich habe nicht so ein Talent wie Franz. Ich kann nicht reflektieren wie er. Ich weiß nur, was ich hier im Herzen fühle. Vielleicht genügt es, dass ich Mensch bleiben möchte und für meine Kinder das Beste will. Für die zu Hause in Prag und für die hier im Nebenraum. Erscheint Ihnen das wenig?"

„Nicht im Geringsten."

Sie lächelte. Mit der üblichen Bewegung glättete sie ihre Schürze und ebenso flüchtig wischte sie mit den Handflächen über den Tisch, als wollte sie nicht vorhandenen Staub wegwischen.

„Ich habe mich verändert. Wissen Sie", sie sah ihm in die Augen und grinste schelmisch, „ich habe nie so viel Wert darauf gelegt, wie ich nach außen wirke, es hat mir nichts ausgemacht in Zürau auf dem Landgut Ziegen zu melken, den Stall auszumisten. Es hat mir im Unterschied zu Franz nichts ausgemacht, wenn Mäuse durch mein Zimmer gelaufen sind. Ich war nie wie meine Schwestern, die sich teure Pelzmäntel kauften und sich vornehm nach der letzten Mode kleideten. Ich war nie peinlich auf Ordnung bedacht, sicher, ich hatte ein Hausmädchen, ab ich habe es nie ausgeschimpft, wenn es irgendwo den Boden nicht gewischt hatte. Und hier… hier hat mein Leben eine feste Ordnung bekommen. Ich stehe genau um sechs Uhr auf, um vor dem Wecken genügend Zeit zur Vorbereitung zu haben. Wie damals, als ich meinen Eltern im Geschäft geholfen habe und früh aus den Federn musste. Ich gehe jetzt zeitig schlafen. Schauen Sie mich an, ich versuche stets ordentlich zu erscheinen, auch wenn es hier eigentlich nicht darauf ankommt. Ich tue das nicht nur meinetwegen, sondern vor allem wegen der Jungen. Ich muss ihnen doch mit gutem Beispiel vorangehen. Ich denke, das ist sinnvoll. Ich bin fröhlich und lache immer noch gern. Ich gestehe Ihnen: Ich bin glücklich."

„Ich wünschte, ich hätte Ihre Natur und könnte alles in rosaroten Farben sehen. Oder täuschen Sie das nur vor und spielen Theater, damit die Kinder nicht die Hoffnung verlieren?"

„Niemand sollte die Hoffnung verlieren", antwortete Ottla. „Auch meine Mädchen zu Hause nicht. Wir sind doch hier in Sicherheit."

„Also gut, in Sicherheit", sagte Herškovic mit einem schiefen Lächeln. „Es klingt wie ein Witz, aber unlängst hat angeblich ein SS-Mann bei Edelstein geklagt, wie gut es die Juden hier haben, dass ihnen nicht droht, an die Ostfront geschickt zu werden und sie hier wie im Paradies leben."

Felix seufzte tief. „Ich habe auch gedacht, ich würde hier in Theresienstadt den Krieg irgendwie überleben. So konnte es erscheinen. Theresienstadt als Stadt, die Hitler den Juden geschenkt hat. Eine eigene Selbstverwaltung, all die Institutionen und Arbeitsstellen, die hier eingerichtet wurden. Wir haben sogar eine Kommission zur Organisation der Freizeit, Konzerte, Kabarette, Theater."

„Wir tun, was die Deutschen verlangen. Sie profitieren davon."

„Ja, sie haben Sklaven aus uns gemacht."

„Wer würde solche Sklaven loswerden wollen?"

„Genau das ist die größte Illusion, die Sie sich hier machen können. Zunächst gingen die alten Leute in die Transporte, die nicht arbeiten konnten. Aber jetzt fahren auch die Jungen, die Starken, aber ebenso…"

„Sie werden anderswo gebraucht", wand Ottla unsicher ein.

„Auch Ihre kleinen Jungs werden in die Transporte eingereiht. Theresienstadt ist nur eine Übergangsstation. Solange der Krieg nicht endet, werden sie uns einen nach dem anderen fortschaffen."

„Der Krieg kann nicht mehr lange dauern."

„Das kann er wirklich nicht."

Wir müssen verschiedene alte Sünden büßen. Jetzt ist
allerdings keine Zeit, darüber zu reden, jetzt soll jeder für
sich sorgen. Wir sind ja vor der endgültigen Auflösung.

FRANZ KAFKA, TAGEBÜCHER, 6. 6. 1914[10]

Doktor Felix Herškovic hatte ein ausgezeichnetes Gedächtnis. Sicher, um die Fakultät erfolgreich abzuschlie-
ßen, bedarf es eines guten Gedächtnisses, aber das seine
war außergewöhnlich. Er hatte ein bewundernswertes Er-
innerungsvermögen für Zahlen. Es war seine Leiden-
schaft, stets verschlang er statistische Daten, die unterschiedlichsten Vergleichstabellen, gleichgültig, ob sie sich
auf medizinische oder andere Bereiche bezogen. Und diese Zahlen blieben ihm im Gedächtnis haften. Gelegentlich
schien ihm sinnlos, was er alles in seinem Gehirn spei-
cherte, denn die meisten dieser Daten waren für seine Praxis als Internist in Vinohrady vollkommen unwichtig. Er
empfand die Vorstellung als bedrohlich, eines Tages könne schlicht die Kapazitätsgrenze seines Gedächtnisses erreicht sein, ähnlich wie ein Fass mit Regenwasser irgendwann voll ist und dann geht nichts mehr hinein. Glücklicherweise funktioniert das menschliche Gehirn nicht so.

Nachdem Herškovic ins Ghetto Theresienstadt deportiert
worden war, verringerte sich aufgrund der Isolation der
Nachschub an Daten und Zahlen, die er in seinem Gedächtnis hätte festhalten können, erheblich. Es waren zwar
weniger Zahlen, aber es waren umso bedrohlichere. Denn
sie betrafen vor allem die Zahl der Häftlinge in der Festungsstadt – aktuell waren es 46.395 – der eintreffenden
und abgehenden Transporte, der Patienten (8.984), der
Krankenbetten und ihrer Belegung (5.000 Bettlägerige),
die Zahl der täglichen Todesfälle.

Da viele Patienten von Dr. Herškovic von seiner Obses-
sion für Zahlen wussten, vertrauten sie ihm an, was sie
selbst wussten oder gerüchteweise gehört hatten. Sie über-

mittelten ihm Informationen, als wären es Geschenke, die dazu beitragen könnten, dass er sie gut oder zumindest unter den gegebenen Umständen angemessen behandelte.

Wie kam man nur auf den Gedanken, daß Menschen durch Briefe mit einander verkehren können! Man kann an einen fernen Menschen denken und man kann einen nahen Menschen fassen, alles andere geht über Menschenkraft. Briefe schreiben aber heißt, sich vor den Gespenstern entblößen, worauf sie gierig warten. Geschriebene Küsse kommen nicht an ihren Ort, sondern werden von den Gespenstern auf dem Wege ausgetrunken. Durch diese reichliche Nahrung vermehren sie sich ja so unerhört.

FRANZ KAFKA AN MILENA JESENSKÁ, 2. 4. 1922[28]

***

Meine allerliebsten Mädchen!

Ich drücke euch an mich und beiße euch liebevoll am ganzen Körper, weil ich euch einerseits liebe und euch andererseits böse bin, dass ihr nicht mehr an euch selbst denkt, denn auch für euch sind die Leckerbissen kostbar, die ihr mir jetzt in solchem Umfang schickt. Ein so großes Paket, wie ich es gerade geöffnet habe, bekommt sonst einfach niemand. Und es ist schon das dritte diese Woche. Aber denkt nicht, dass sei alles für mich allein. Ich habe von Unglücklichen, die draußen niemanden haben, der ihnen etwas schicken könnte, Erlaubnisscheine für Pakete bekommen, und ich teile dann mit ihnen, wenn ich etwas erhalte. Und dann habe ich hier dreizehn sensationelle Jungs, die stets gierig die Hände nach jeder Leckerei ausstrecken.

Am meisten freue ich mich, wenn ihr mir schreibt, was es zu Hause Neues gibt. Ihr habt schon lange nichts über unsere Bělinka geschrieben. Lebt sie noch? Sie wird ja schon zwölf Jahre alt. Sie ist nicht mehr die Jüngste, gern würde ich sie hinter den Ohren kraulen. Kümmert ihr euch gut um sie? Vor kurzem musste ich daran denken, wie ihr Vater mit euren Überlegungen aufgeregt habt, ob Bělinka arischen Ursprungs sein könne, wenn sie meine Hündin ist. Na und seht ihr, offenbar werden von ihnen sogar Hunde in normale und schlechte unterteilt, wenn sie Juden den Besitz von Haustieren verbieten. Seid froh, dass Vater euch beschützt.

Wenn es für euch nicht zu schwierig ist, das zu besorgen, schickt mir bitte Würfel- und Puderzucker, Schmalz, süße Bonbons und Zitronen für meine Kinder, Mohn und Ein-brenne. Und für Dita Lockenwickler für eine Wasserwelle. Sie hat sich verliebt und möchte gut aussehen.

Helena und Věra, ich schreibe das ständig, aber denkt da-ran: Es ist wichtig, dass ihr die Pakete nummeriert, damit ich weiß, ob eines fehlt und etwas unternehmen kann. In einem Päckchen habe ich nur Schalen von Zwiebeln und Knoblauch gefunden, wahrscheinlich haben die „Marien-käfer" sich bedient.

Wie ihr seht, ist dieser Brief länger als üblich. Ich habe einen anderen Weg gefunden, von hier aus etwas auf den Weg zu bringen. Es gibt so viele gute Menschen hier. Wenn das hier vorbei ist und ich zurückkomme, werde ich euch mit einem der hiesigen Ärzte bekannt machen. Er macht zwar oft ein mürrisches Gesicht, schüttelt oft den Kopf über mich, als würde er nicht verstehen, dass ich nun einmal so bin, aber er hat ein Herz aus Gold. Er erinnert mich ein wenig an euren Onkel Franz, aber ihr werdet euch kaum an ihn erinnern.

Eure euch liebende Ottla

Franz Kafka

Eines der Paradoxe des Lebens in Theresienstadt war der Reichtum und die Vielfalt des kulturellen Lebens. Vermutlich fanden weltweit in keiner anderen Stadt auf so engen Raum zu dieser Zeit so viele Konzerte, Opern- und Theateraufführungen, unter ihnen auch Premieren, Rezitationsabende, Kabarette oder Fachvorträge zu verschiedensten Themen statt. Unter den Gefangenen herrschte einfach Hunger nach Kunst, um die Realität wenigstens für ein, zwei Stunden vergessen zu können. Auch wenn manche Veranstaltungen heimlich abgehalten wurden, waren die meisten von den Deutschen genehmigt oder fanden mit ihrem Wissen statt. Warum sollten die Juden nicht noch ein wenig Unterhaltung haben – es erwartete sie so oder so der Transport in den Osten… Es kam sogar vor, dass SS-Angehörige Konzerte besuchten. Und wenn Fußballspiele stattfanden, schlossen sie untereinander manchmal Wetten auf den Sieger ab.

Im Juni 1943 wurde anlässlich des 60. Geburtstages von Franz Kafka auf einem geräumigen Dachboden, wo sonst Konzerte oder Opernaufführungen veranstaltet wurden, ein Vortrag gehalten. Ottla war dazu eingeladen.

Doktor Felix Herškovic begleitete sie. Übrigens hatte er Franz während seiner Studienzeit an der deutschen Universität in Prag persönlich kennengelernt. Felix holte Ottla vor dem Kinderheim ab und bot ihr höflich den Arm. Ottla hängte sich lächelnd ein.

„Als im Jahr 1911 jüdische Schauspieler aus Galizien nach Prag kamen, war Franz ganz verrückt nach ihnen. Er ging zu jeder Aufführung, dort sind wir uns begegnet. Auch wenn ich", erinnerte Felix sich, „die östlichen Chassidismus nicht sonderlich bewundert habe."

Franz Kafka, 1923

„Ja, Franz hat sich in diesen Itzig Löwy geradezu verliebt. Zu dieser Zeit war er auch mit Jiří Langer in Kontakt… Er bewunderte immer solche, wie soll ich das sagen, unverfälschte Charaktere, umso mehr, weil es so wenige von ihnen gibt. Unsere Tauba ist auch solch eine stolze Natur."

„Sie sind auch eine solche Ausnahme. Wohl deshalb waren sie seine Lieblingsschwester, soweit ich weiß."

Ottlas Augen verengten sich, weil ein frecher Sonnenstrahl sie blendete, der zwischen den Kasernenblöcken hindurchblitzte.

„Wenn ich nicht seine Schwester wäre, hätte er mich geheiratet." Sie lachte so laut auf, dass sich einige trübsinnige Gestalten auf dem überfüllten Bürgersteig empört umdrehten.

„Wenigstens hat er das behauptet, um mir eine Freude zu machen. Aber wahrscheinlich wäre es mir gegangen wie all seinen anderen Beziehungen. Einige dieser Frauen hatte ich wirklich gern. Vor allem Felice, mit der ich mich angefreundet habe, aber auch Milena und schließlich Dora, die ihn in den letzten Tagen seines Lebens begleitet hat."

Herškovic blieb stehen und zeigte mit der Hand die trostlose, rissige Mauer einer Kaserne. „Was würde Franz wohl sagen, wenn er uns sehen könnte, wie wir zu einem Vortrag anlässlich seines nicht erlebten 60. Geburtstags durch das Ghetto laufen?"

„Ich werde ihn fragen" sagte Ottla ernsthaft. „Nachts kommt er zu mir und wir unterhalten uns. Manchmal hat er die Gestalt eines Engels. Ich erzähle ihm, wie es hier zugeht. Es interessiert ihn, weil hier so viele bemerkenswerte Motive zu beobachten sind. Wenn er darüber schriebe, müsste er nicht viel erfinden."

Felix legte einen Schritt zu, damit sie nicht zu spät zu dem Vortrag kamen. Ottla musste fast rennen, um mithalten zu können. Auch heute waren die Straßen voller Menschen, aus der Vogelperspektive musste das Ghetto erscheinen wie ein Ameisenhaufen mit einem chaotischen Gewimmel von Bewohnern.

„Es ist ein Scherz", rief Ottla Felix Herškovic zu. „Franz würde laut lachen. Sie wissen, wie er gelacht hat." Sie legte den Kopf leicht in den Nacken, als wolle sie in den Himmel schauen, zog den Mund in die Breite und verschränkte die Arme vor der Brust... „Er würde aber bestimmt nicht in der ersten Reihe sitzen, sondern sich irgendwo hinten verstecken und das heimlich verfolgen."

Der Dachboden war voll, wie bei allen gesellschaftlichen und kulturellen Veranstaltungen, deren Ziel es war, in den Häftlingen wenigstens für eine kurze Zeit die Illusion zu erzeugen, das Leben vor dem Krieg existiere noch. Nur mühsam fanden sie zwei Plätze nebeneinander. Ottla wollte keine Aufmerksamkeit erwecken und war froh, dass die meisten Menschen nicht wussten, wer sie war. Sie sprach es vor Herškovic nicht laut aus, aber sie hatte den Verdacht, dass die Besucher keine Ahnung hatten, an wessen Geburtstag hier erinnert wurde. Nicht sehr viele Menschen konnten Franz Kafka kennen.

Ein deutscher Professor, dessen Namen sie überhörte, begann mit seinem Vortrag. Er verwendete eine schöne Sprache, die nicht übersetzt werden musste. Er sprach über jüdische Schriftsteller, von denen er Kafka zu den bedeutendsten rechnete. Die Kenntnis seines Werkes, betonte er, habe sich im vergangenen Jahrzehnt buchstäblich auf der ganzen Welt verbreitet. Dann erschien ein gutaussehender, etwa dreißigjähriger Mann mit markanten Zügen am Rednerpult.

„Das ist doch Norbert Fried", sagte Herškovic erstaunt.[31]

„Natürlich", flüsterte Ottla. „Er hat diesen Vortrag arrangiert und mich eingeladen."

„Was denn, Sie kennen sich?"

„Er hat mit Kindern ein Theaterstück einstudiert. Sie haben es meinen Jungs im Heim vorgespielt. Er sagte mir,

143

dass er sich für Franz interessiere und konnte es nicht glauben, als ich ihm sagte, dass ich seine Schwester bin."

Der Mann zog ein Notizbuch hervor und las in die eintretende, vollkommene Stille:

Der Verurteilte wendet heimlich den Kopf nach dem Scharfrichter, als er aber seine Arbeit bemerkt, schauert ihn, er kehrt sich wieder um und will nichts mehr sehn. „Ich bin bereit", sagt der Scharfrichter nach einem Weilchen. „Bereit", ruft mit schreiender Frage der Verurteilte, springt auf und sieht nun doch den Scharfrichter voll an. „Du wirst mich nicht töten, wirst mich nicht auf die Pritsche legen und erstechen, bist ja doch ein Mensch, kannst hinrichten auf dem Podium mit Gehilfen und vor Gerichtsbeamten, aber nicht hier in der Zelle, ein Mensch unter andern Menschen." Und da der Scharfrichter gebeugt über dem Kasten schweigt, fügt der Verurteilte ruhiger hinzu: „Es ist unmöglich." Und da auch jetzt der Scharfrichter stillbleibt, sagt der Verurteilte noch: „Gerade weil es unmöglich ist, ist dieser sonderbare Gerichtsgebrauch eingeführt worden. Die Form sollte noch gewahrt, aber die Todesstrafe nicht mehr vollzogen werden. Du wirst mich in ein anderes Gefängnis bringen, dort werde ich wahrscheinlich noch lange bleiben, aber hinrichten wird man mich nicht."

FRANZ KAFKA, TAGEBÜCHER, 22. 7. 1916[10]

Unter den Menschen breitete sich Unruhe aus. Fried senkte würdevoll sein Notizbuch und wartete, bis es wieder ruhig wurde. Dann sprach er über die aktuellen Bezüge des vor dreißig Jahren von Kafka geschriebenen Textes. Kafka habe über eine prophetische Ader verfügt, die ohnegleichen sei.

Dann wanderten seine Augen über die anwesenden Zuhörer, bis sie auf Ottla ruhten. Ihre Blicke trafen sich. Ottla lief es kalt den Rücken herunter.

„Ich möchte Ihnen allen für die zahlreiche Teilnahme danken. Und ich möchte auch der hier anwesenden Schwester des Schriftstellers, Frau Ottilie, für ihr Kommen danken. Vielleicht können wir ihre Anwesenheit nutzen und sie als die Person, die ihrem Bruder am nächsten stand, um einen kurzen Beitrag bitten?"

Ottla schüttelte leicht den Kopf. „Das war doch nicht abgesprochen", flüsterte sie Doktor Herškovic zu.

Jemand in der ersten Reihe sprang auf und rief: „Verraten Sie uns, wie wir Kafka verstehen sollen? Wie ist es möglich, dass er alles so genau vorhersah?" Und sofort schloss sich ihm ein weiterer Mann an. „Im Vortrag wurde Kafkas Aussage *Ich bin Literatur* erwähnt. Was für Literatur? Es ist doch blanke Realität! Sie haben uns alle in der Strafkolonie eingesperrt! Die Henker warten schon auf uns! Die Schuld steht doch außer Frage – wir sind Juden!"

Mit einer sanften Geste warnte der Vortragende den Mann, seine Worte vorsichtiger zu wählen. Unter den Zuschauern konnte sich doch jemand von der Gestapo oder ein Denunziant eingeschlichen haben.

Fried streckte den Arm einladend aus, um Ottla zum Podium zu bitten. Diese signalisierte jedoch noch eindringlicher, das nicht zu wollen. Die Enttäuschung der Zuschauer war offensichtlich.

Der Mann drängte nicht weiter. Er hob die Hand, um für Ruhe zu sorgen.

„Ich glaube, ich verstehe Sie. Franz hat schon vor dreißig Jahren über dieses Thema geschrieben... warten Sie, bis ich diese Seite aufgeschlagen habe. Hier:

Alles, was sich nicht auf Literatur bezieht, hasse ich, es
langweilt mich, Gespräche zu führen (selbst wenn sie sich
auf Literatur beziehen, es langweilt mich, Besuche zu ma-
chen, Leiden und Freuden meiner Verwandten langweilen
mich in die Seele hinein. Gespräche nehmen allem, was
ich denke, die Wichtigkeit, den Ernst, die Wahrheit.

FRANZ KAFKA, TAGEBÜCHER, 21. 7. 1913[10]

Dann fügte er noch hinzu: „Wir alle tragen Kafka in uns
und ein jeder versteht ihn auf seine Weise. Das ist wohl
der Sinn seiner Notiz und auch der Grund, warum Frau
Ottla lieber schweigt."

Als Doktor Herškovic Ottla nach Ende des Vortrags zum
Heim begleitete, sagte sie ihm: „Was hatte das für einen
Sinn? Franz wollte doch nicht, dass seine Texte veröffentlicht werden. Er hat das unmissverständlich in sein Testament geschrieben. Brod sollte alles verbrennen und nicht
einmal lesen. Und was hat er getan? Er hat alle Texte
veröffentlicht und alle konnten sie lesen. Und dann hat er
auch noch seinen Lebenslauf öffentlich gemacht."

„Max hat das einzig Richtige getan", bemerkte Herškovic.

Ottla schüttelte energisch den Kopf. „Nein, er hätte auf
Franz hören sollen. Das war indiskret von ihm. Ich habe
ihm das nie verziehen."

„Wenn er hier bei uns wäre, würde er es Ihnen sicher erklären."

„Seine Ausreden würden mich nicht interessieren. Er war
doch mit Franz befreundet, er hätte seine Wünsche respek-
tieren sollen. Dora Diamant hat das getan. Abgesehen davon ist es Max glücklicherweise gelungen, im letzten Moment zu emigrieren."

Herškovic beugte sich zu Ottla. „Vielleicht hat sie sich
nicht bewusst gemacht, was sie da in Händen hielt. Viel-

leicht hat sie es ja auch gar nicht verbrannt, wer weiß. Mir steht hier oft die letzte Szene aus dem *Prozess* vor Augen. Wie sie Josef K. in den Steinbruch führen, wo er hingerichtet werden soll. Der Arme hat keine Ahnung, wessen er sich schuldig gemacht hat, kein Gericht hat ihn verurteilt. Jetzt ist es hier mit uns so ähnlich. Für die Deutschen steht unsere Schuld allerdings außer Zweifel. Sie müssen uns gar nicht vor ein Schwurgericht stellen, wir sind Juden, allein die Herkunft genügt."

Plötzlich lachte er. „Und dabei, was für ein Paradox, ein Jude kann Gott verleugnen, unter uns sind Christen, wie Sie wissen, wird im Ghetto auch Weihnachten gefeiert. Oder Mohammedaner, obwohl ich persönlich hier noch keinem begegnet bin… Für die Deutschen ist allein die Rasse entscheidend. Erinnern Sie sich an diesen komischen Tagesbefehl?"

„Ich versuche, sie nicht wahrzunehmen", gestand Ottla.

„Das wird Ihnen gefallen. Ich hoffe, getreu zu zitieren. Belina Goldstein gab an, Mohammedanerin zu sein, obwohl sie in der Wiener jüdischen Gemeinde geführt wurde, und behauptete, sie sei türkische Staatsbürgerin, obwohl sie von der Wiener Polizei als staatenlos registriert war.[32] Selbstverständlich wurde sie zu Gefängnis verurteilt. Das ist doch noch interessanter, als dass Josef Glücklich zu sechs Wochen verurteilt wurde, weil bei ihm fünf Zigaretten gefunden wurden."

"Sie sind ein schrecklicher Zyniker, Felix", sagte Ottla, aber ihre Mundwinkel zuckten belustigt.

„Zu Ihren Diensten", antwortete er. „Ein Zyniker und Realist."

147

Franz und Ottla vor dem Oppelt-Haus

Liebe Ottla, heute in der Nacht zwischen dem 31. 1. und 1.
2. wachte ich etwa um 5 Uhr auf und hörte Dich vor der
Zimmertür „Franz" rufen, zart, aber ich hörte es deutlich.
Ich antwortete gleich aber es rührte sich nichts mehr. Was
wolltest Du?

Dein Franz

FRANZ KAFKA AN OTTLA, 1. 2. 1919[1]

Am Abend, als sie noch lesend in ihrem Kämmerchen saß,
kam Franz zu Ottla. Er näherte sich von hinten, wie einst
während des Ersten Weltkrieges im Goldenen Gässchen,
wenn er in dem von ihr gemieteten kleinen Häuschen Ruhe zum Schreiben suchte und den langen nächtlichen
Rückweg die Burgtreppen hinunter, über die Moldau-
brücke und durch die Sträßchen der Kleinseite genoss. Er
legte ihr die Hand auf die Schulter und streichelte mit dem
Daumen ihren Nacken, was sie gern hatte. Sie drehte sich
nicht um, damit er nicht wieder verschwand.

„Heute haben rund hundert Menschen deinen Geburtstag
gefeiert. Vielleicht mehr, ich kann nicht gut schätzen.
Vielleicht haben dich nicht alle gelesen, aber die meisten
kennen und bewundern dich. Du bist auf der ganzen Welt
bekannt. Ich lüge nicht, Franz, wirklich nicht. Brod hat dir
nicht gehorcht, er hat nichts verbrannt. Ärgerst du dich
auch darüber?" flüsterte Ottla.

„Wenn du noch leben würdest, wärest du jetzt wahrscheinlich mit deinen Schwestern Elli und Valli im Ghetto
Łódź oder mit mir in Theresienstadt. Vielleicht würdest du
das hier als Lebensprüfung auffassen. Du hast doch
gesagt, wenn irgendwo Blut fließt, muss auch deines
fließen…

149

Ich habe meinen Mädchen geschrieben, dass du hier begeistert wärest. Nicht so wörtlich, aber wenn du willst, kannst du hier sehr nützlich sein. Sei nicht böse, dass ich nicht vor so vielen Menschen über dich sprechen wollte...

Ich habe mich immer unter gewöhnlichen Menschen wohler gefühlt, auch unter Bettlern, die zu mir nach Hause kamen wegen einer Mahlzeit und vielleicht auch nur, um einmal mit jemandem zu reden, als unter Intellektuellen... Ich bin mir nicht einmal sicher, ob dich einer von ihnen wirklich versteht.

Mein Gott, Franz, bleib noch ein bisschen hier. Ich bin traurig und ich möchte nicht, dass dies jemand bemerkt. Wenn ich wie du jetzt für einen Moment zu meinen Mädchen fliegen könnte! Aber mir fehlen deine Flügel... Stell dir vor: Ich bin hier, sie nur ein paar Dutzend Kilometer entfernt in Prag, aber es ist, als lebten wir auf verschiedenen Planeten. Nicht Kilometer trennen uns, sondern die zerrissene Welt. Dabei erleben wir jede Sekunde gemeinsam. Ich neige gerade meinen Kopf. Věra und Helena machen im gleichen Moment auch irgendeine Bewegung. Wir wissen voneinander, aber eigentlich wissen wir gar nichts. Warst du einmal bei ihnen? Haben sie dich erkannt? Wenn du sie siehst, danke ihnen für die Pakete, die sie mir schicken. Ich teile sie ehrlich mit meinen Jungen. Ehrlich. Erinnerst du dich, wie wir gemeinsam am Tisch gesessen haben, ich habe Nüsse geknackt, eine für mich, die nächste für dich. Und du hast nachher gewitzelt, ich hätte mehr gegessen. Das könnte mir hier niemand vorwerfen."

Věra und Helena

Věras Universitätsstudium in den Fächern Französisch und Deutsch endete mit der Schließung der Hochschulen.

Man sagt, sie würden jetzt Studenten verhaften. Vater hat für mich eine Stelle bei einer ihm bekannten Schneiderin gefunden, ich soll dort Lehrmädchen sein. Ich war einige Male dort, aber ich habe mich furchtbar gelangweilt, das hat keinen Sinn.

Dann habe ich in der Zeitung ein Inserat entdeckt, dass die Sportschule von Běla Friedländer im Axa-Palais einen Übungsraum mit verschiedenen Fachgebieten eröffnet – Sport, Schlankheitskuren – und dass sie Schüler annehmen. Mir hat das sehr gefallen. Da war Mama noch bei uns. Also bin ich mit ihr zu Běla Friedländer gegangen und sie hat mich genommen. Běla ist eine sehr reiche Dame, die früher einmal irgendeinen europäischen Schwimmwettbewerb gewonnen hat, ich glaube im Kraulen. Die Erziehung bei ihr war so menschlich. Ich begann, mit Frauen zu trainieren. Es war ein großer Erfolg... Die Frauen, die trainieren wollten, achteten auf sich und gingen deshalb zu dieser privaten Institution. Das ganze Axa-Palais war voller Übungsräume. Ich habe dort gelernt und auch Erfolg gehabt.

Běla bot mir eine Anstellung. Sonst wollten sie überall wissen, ob man Kontakte ins Ausland oder dort Verwandte hat. Nun hatte ich viele Verwandte im Ausland, aber Běla war das gleichgültig. So wurde ich Turnlehrerin. Im Sokol ging es um Muskeln, Běla dagegen machte Kunstturnen, um die Muskeln zu strecken. Die Frauen wollten keine Muskelpakete und so meldeten sich viele bei Běla an.[4]

Věra blieb zwei Jahre bei Běla Friedländer. Im zweiten Jahr leitete sie schon selbst Kurse. Sie war körperlich sehr fit, fuhr Ski, turnte. Häufig nahmen Schauspielerinnen an ihren Kursen teil, die abnehmen wollten. Ihre Schwester Helena besuchte weiter das Gymnasium. Nach Ottlas Deportation nach Theresienstadt zog Věra zu ihrem Freund Karel Projsa in die Korunní-Straße. Tagsüber ging sie zur Arbeit im Axa, in ihrer Freizeit stellte sie mit Karel Päckchen zusammen, die sie den Tanten nach Łódź und vor allem Ottla schickten, der es von Zeit zu Zeit gelang, von Mitgefangenen Erlaubnisscheine dafür zu erhalten. Wenn sie Brot schicken durfte, schuf Projsa darin mit großer Geschicklichkeit einen Hohlraum, in dem sie Schokolade, Medikamente oder andere nicht erlaubte Dinge versteckten, nicht nur für die Gesundheit, *sondern auch etwas zum Vergnügen*, und fügte den Laib dann wieder so zusammen, dass niemand erkennen konnte, was er enthielt. Niemand konnte das besser als er.

Im besetzten Tschechien war ein Zuteilungssystem eingeführt worden, vor allem in größeren Städten hatten die Menschen Probleme, sich über den gesetzten Rahmen hinaus Lebensmittel zu besorgen. Obwohl Schwarzhandel schwer bestraft wurde, oft mit der Todesstrafe, blühte er im gesamten Protektorat.

Věra hatte jedoch einen Vorteil. Karel Projsas Mutter besaß Felder und bewirtschaftete einen Bauernhof. Věra und Helena fuhren hinaus aufs Land zu ihrem Hof nach Bezno bei Jungbunzlau.

Wir fuhren mit dem Zug, erzählte mir Věra, *und mussten Lebensmittel versteckt halten. Meine Schwester Helena und ich gewöhnten uns daran und es funktionierte. Wenn wir schwere Koffer hatten, in denen Mehl war, wussten wir, dass es am Bahnhof Kontrollen geben und man uns das abnehmen würde. Wenn wir von weitem deutsche Polizisten sahen, stellten wir den Koffer bei einer Gruppe*

152

gewöhnlicher deutscher Soldaten ab, gingen ein Stück weiter und haben gewartet. Wenn der ganze Zirkus dann vorbei war, haben wir den Koffer geholt. Das geschah sehr oft. Es ist nie passiert, dass er beschlagnahmt wurde. Oft waren Dinge für teures Geld im Koffer. Mutter Projsa war Bäuerin, die Landbewohner profitierten von der Situation. Einiges haben wir ihr abgekauft, manches gab sie uns umsonst. Auch sie riskierte viel. Ich hatte Projsas Mutter schrecklich gern. Einerseits war sie schlau, sie war eine gute Bäuerin, andererseits gab sie uns die Sachen gern. Wir haben sie zuvor angerufen oder geschrieben, dass wir in zwei Wochen kämen, und wenn wir dann dort waren, war eine Vielzahl von Dingen für uns vorbereitet: Butter, Schmalz, Eier.[4]

Věra arbeitete bei Běla Friedländer, bis die Deutschen entschieden, dass so beschäftigte Menschen den Gewerkschaften beizutreten hätten. Aber dort wurden Mischlinge nicht aufgenommen. Aufgrund der Vorschriften kam sie so um ihre Arbeit. Zusammen mit Helena wurde sie zu einer Behörde vorgeladen und zur Zwangsarbeit auf einem Gutshof im Prager Stadtteil Juliska eingeteilt, wo sie in Zwölf-Stunden-Schichten Wagen mit Kohlen beladen mussten.

Elf Mädchen wurden dort von litauischen SS-Männern bewacht, die gern mit ihnen flirteten und versuchten, ihnen die Arbeit zu erleichtern. Die Welt war nie nur schwarzweiß.

In einer so gottlosen Zeit muß der Mensch aber fröhlich sein. Das ist Pflicht. Auch auf der sinkenden Titanic spielte die Kapelle bis zum Schluß. Verzweiflung verliert so den Boden unter den Füßen.

FRANZ KAFKA, GUSTAV JANOUCH,
GESPRÄCHE MIT KAFKA[27]

Freundschaft oder mehr?

Doktor Herškovic hatte im Kopf, wann Ottla in ihrem Heim Dienst bei den Jungen hatte, deshalb wusste er, dass sie frei haben würde, als er sie Anfang August einlud, am frühen Abend gemeinsam spazieren zu gehen. Seit dem Vortrag aus Anlass von Franz Kafkas Geburtstag war es das erste Mal, dass er sich mit ihr außerhalb ihres Kämmerchens oder den Kinderzimmern treffen wollte. Er wagte es nicht, dieses Treffen als Rendezvous zu bezeichnen. Obwohl er forsch und selbstbewusst wirkte, hatte er doch als alter Junggeselle wenig vertrauliche Erfahrungen mit Frauen und war schüchtern, auch wenn er sich das nicht gern eingestand. Zudem waren Ottla und er selbst längst nicht mehr in dem Alter, in dem man sich ohne weiteres zu einem Rendezvous verabredet.

Ottla lehnte nicht ab. Es sollte nicht nur das zweite Mal sein, dass sie mit Felix ausging, sie war seit Monaten kaum außerhalb der Mauern des Kinderheimes L 417 gekommen. Tatsächlich kannte sie vom Ghetto näher nur das, was sie sah, wenn sie aus dem Fenster schaute – den Innenhof des Heimes, wo die Jungs herumtobten und Fußball spielten. Glücklicherweise sah man aus den anderen Fenstern dieses mitten in der Festungsstadt gelegenen Gebäudes direkt neben dem Marktplatz in den gegenüberliegenden Stadtpark mit altem Baumbestand oder auf den Marktplatz, wo wundersamerweise im Frühling Rasen angelegt worden war. In der Landwirtschaft eingesetzte Frauen hatten dort Beete mit Rosen gepflanzt, die seit Mai blühten.

Und was nicht weniger überraschend war: Der Marktplatz war für die Häftlinge nicht mehr unzugänglich. Ottla konnte der „Mitteilung der Selbstverwaltung", wie der Tagesbefehl des Ältestenrates neuerdings genannt wurde, die Änderungen für das Leben im Ghetto entnehmen. Sie wusste, dass eine Bank der jüdischen Selbstverwaltung gegründet worden war, Straßen und Plätze anstelle der bisherigen nüchternen Bezeichnung mit Buchstaben und Nummern nun hübsche Namen erhielten, verschiedene Geschäfte, ein Musikpavillon und ein Kaffeehaus eröffnet worden waren, und Ausgang bis 22 Uhr erlaubt war.

Keine dieser Neuerungen hatten für sie irgendeine Bedeutung. Auch wenn ihr jetzt eine Entlohnung in Ghettogeld ausgezahlt wurde, konnte man dafür in den neu eröffneten Geschäften nichts Brauchbares kaufen. Im Übrigen stammte, was von den armen Verkäufern dort feilgeboten wurde, aus dem Gepäck von Häftlingen und war ihnen an der Schleuse von den „Marienkäferchen" abgenommen worden, und so erkannten einige Häftlinge dort ihre eigenen Sachen. Wirklich wertvolle Dinge landeten natürlich anderswo als in den Regalen der Geschäfte. Es hatte auch keinerlei Bedeutung, dass plötzlich nicht mehr von einem Ghetto, sondern vom „Jüdischen Siedlungsgebiet" die Rede war.

Ottla zog ihr bestes Kleid an, legte ihre einzige Halskette um, die sie wie durch ein Wunder bei der Ankunft im Ghetto durch die Durchsuchung gebracht hatte – sie war nicht teuer und hatte vielleicht deshalb nicht das Interesse der deutschen Marienkäferchen geweckt – ordnete ihre Frisur und zeichnete mit einem Buntstift der Kinder ihre Lippen nach. Sie ärgerte sich, nichts zu haben, um die grauen Strähnen zu verdecken, die sich allmählich in ihrem vollen braunen Haar zeigten, auf das sie immer stolz gewesen war. Dass sie durch die miserable Ernährung sichtbar abgenommen hatte und ihr das Kleid zu weit war, machte ihr weniger aus.

Felix Herškovic wartete bereits vor dem Gebäude. Auch er war sorgfältiger gekleidet als gewöhnlich, auch er füllte seinen Anzug aus der Ersten Republik nicht mehr aus. Er kam ihr entgegen. In einem der Fenster erschien ein Kindergesicht, dann eine Hand, die Ottla winkte.

„Schauen Sie, Doktor, da ist Šmulik."

Nachdem ihm die Kameraden den Kompass zurückgegeben hatten, den sie in guter Absicht beschlagnahmt hatten, damit er endlich aufhörte mit den unsinnigen Vorbereitungen auf den Transport, war Samuel den Jungen nicht mehr auf die Nerven gefallen und wagte es nur noch mit Ottla über zwei Jahre Ferien zu sprechen.

Ansichtskarte, Marktplatz

„Was für eine schöne Abenddämmerung", sagte Felix. Schauen Sie der Himmel. Ist das nicht herrlich? Diese Unendlichkeit, kein Stacheldraht, keine Polizisten, keine Ghettowache. Wir dürfen nur nicht nach unten auf die abblätternden Fassaden schauen."

„Ich schaue doch lieber in den Himmel."

„Passen Sie auf, dass Sie nicht stolpern."

„Hier wird es schon besser", bemerkte Ottla spöttisch. „Sie haben etwas neu angestrichen. Angeblich soll irgendein Film gedreht werden. Spielende Kinder, ein Operationssaal, Konzerte, vielleicht werden auch Sie ausgewählt."

„Potemkinsche Dörfer haben mich noch nie interessiert, schon gar nicht, wenn sie aus uns Kulissen machen. Aber mich werden die Filmemacher sicher nicht auswählen."

Plötzlich begann er laut zu lachen. „Als ich Medizin studiert habe, hatte ich einen jüdischen Professor in Anatomie. Er war streng und stritt sich gern. Einmal schrie er mich – aber im Guten – an: *Herr Felix Herškovic, Sie sind ein widerlicher Jude. Wenn Sie wie ich wären, dann würde ich sagen, dass Sie ein alter widerlicher Jude sind. Aber da müssen wir noch warten.* Na, und wissen Sie, jetzt fühle ich mich wie er und seine Worte sind Wahrheit geworden. Einen widerlichen alten Juden werden die Deutschen doch nicht als Staffage für einen Film auswählen. Passen lieber Sie auf."

„Meinen Sie das als Kompliment oder als Warnung? Ich passe auch nicht. Ich habe kein schauspielerisches Talent, das hat sich schon in meiner Kindheit gezeigt, und ich kann nichts vortäuschen."

Er ergriff ihre Hand. „Führen Sie mich wie einen Blinden, damit ich mir nicht den Hals breche."

Auch Ottla lachte. „Schauen Sie mich gar nicht an, Felix? Dann habe ich mich umsonst in Schale geworfen."

Herškovic ging in die Hocke und schaute zu Ottla auf, deren Silhouette er so unmittelbar vor der untergehenden Sonne sah. „Also an Ihnen gibt es nichts auszusetzen."

„Wohin gehen wir?" fragte sie und befürchtete, ihr Verhalten könnte den Jungen, die sie zweifellos durch die Fenster des Heimes beobachteten, lächerlich erscheinen.

Sie wusste, dass sich der Doktor wie ein kleiner Junge benahm, aber es gefiel ihr. In etwas erinnerte er sie an Franz.

„Wir könnten ins Kaffeehaus am Marktplatz gehen."

„Wenn Sie mich einladen", sagte Ottla.

„Ich habe eine Eintrittskarte und eine Menge Geld", prahlte Herškovic. „Ich war noch nie so reich wie hier."

„*Das Leben ist nur ein Zufall*", Ottla intonierte die populäre Melodie und brach plötzlich in wildes Lachen aus. Der Doktor hob erstaunt die Augenbrauen.

„Meine Mädchen", fuhr sie vergnügt lächelnd fort, „haben dieses Lied von Voskovec und Werich sehr geliebt und oft vor sich hin gesungen. Irgendwann hat unser braves Dienstmädchen sie angefleht, dies vor uns Eltern nicht zu singen, denn es sei schrecklich unsittlich. Wissen Sie, das *einmal bist du unten, einmal oben*. Sie hat das irgendwie anders verstanden…"

„Sie sehen bezaubernd aus, wenn Sie so lächeln", sagte Herškovic. „Es gibt noch mehr Gründe, es sich gut gehen zu lassen. Heute haben wir Jahrestag."

„Jahrestag?"

„Genau vor einem Jahr sind wir hierher gekommen. Am 3. August 1942. Transport Aaw…"

„Nummer 643", ergänzte Ottla. „Ich habe nicht gewusst, dass wir zusammen gefahren sind."

„Wir haben uns noch nicht persönlich gekannt, aber als ich Sie in Bohušovice am Bahnsteig gesehen habe, dachte ich, Sie müssten etwas mit Kafka zu tun haben. Dieses Gesicht."

„Sie hätten mir ja mal mit dem Koffer helfen können", sagte sie scherzhaft.

Der Doktor richtete sich wieder auf, spielte das angefangene Spiel aber weiter. Mit dem Himmel zugewendetem Gesicht ließ er sich von Ottla führen. Plötzlich stieß er fast mit jemandem zusammen. Es war ein alter Mann mit grauer Haut und erloschenen Augen, unter denen Hautsäckchen hingen wie zusammengefallene Luftballons. Herškovic kannte diese schlechten Anzeichen und wusste, dass der Mann nicht mehr lange zu leben hatte. Der alte Mann ergriff seine Hand und klammerte sich an ihn wie eine Zecke. Er war desorientiert, irrte durch die Straßen Theresienstadts. Die sich ähnelten wie ein Ei dem anderen.

„Wo bin ich hier? Ich will nach Hause."

Ottla fragte vergeblich danach, wo er denn wohne, aber er konnte sich an nichts erinnern.

„Sind Sie nicht aus der Geniekaserne?" fragte der Doktor. Dort waren am meisten alte Menschen untergebracht. Der Mann bejahte und sein Blick klärte sich für eine Sekunde. Ottla bot an, ihn dorthin zu bringen. Der Mann lehnte aber ab, das sei nicht nötig. Er schleppte sich weiter, versunken in die Welt seiner Erinnerungen. Herškovic blieb abrupt stehen und drehte sich nach dem sich entfernenden Alten um.

„Doktor Feuerstein! Warten Sie doch!"

Der Mann blieb stehen. „Ich habe meinen Namen gehört... Kennen wir uns, mein Herr?"

Herškovic ging ihm nach, gefolgt von Ottla.

„Viktor Feuerstein. Aber ja. Vor dem Krieg haben Sie meine Ordination wegen Gallenbeschwerden aufgesucht. Nun, wenn wir ehrlich sind, haben Sie ein wenig simuliert."

Der alte Mann öffnete seinen zahnlosen Mund. „Doktor Herškovic. Unglaublich. Ich wusste nicht, dass Sie verheiratet sind. Sie haben eine reizende Gattin."

Felix schüttelte ihm die rechte Hand und ließ ihn nicht los. Er versicherte ihm, er habe an seinen Junggesellenprinzipien festgehalten und werde dies auch weiter tun. Er stellte ihm Ottla als eine gute Bekannte vor.

„Ich muss jetzt gehen", sagte der alte Mann und senkte den Kopf, der eine unverhältnismäßige Belastung für seinen dünnen Hals mit gespannter Haut zu sein schien.

„Traurig, aber leider ein typisches Beispiel, dass die Alten hier keine große Überlebenschance haben", seufzte Dr. Herškovic, als Feuerstein sich weit genug entfernt hatte. „Vielleicht haben Sie von ihm gehört. Er war ein bekannter Anwalt, spezialisiert auf Ehescheidungen. Wissen Sie, die wohlhabendsten Juden haben ihn engagiert. Und jetzt… Jemand hat ihn denunziert, er habe Zigaretten bei sich. Er wurde durchsucht und sie haben vier Zigaretten der Marke *Viktoria* bei ihm gefunden. Dafür erhielt er eine Woche Gefängnis, und das hat ihn vollkommen gebrochen. Sie haben ja gesehen, in welchem Zustand er ist. Aber lassen wir das. Heute wollen wir uns amüsieren."

„Findet in diesem Zelt etwa eine Zirkusvorstellung statt?" scherzte Ottla. Mitten auf dem Marktplatz stand seit Mai ein riesiges Leinengebilde in Form eines Zirkuszelts und zwei kleinere Zelte. Dort arbeiteten tausend Häftlinge in der so genannten Kistenproduktion, wo sie irgendwelche Teile für Militärfahrzeuge in Holzkisten verpackten.

„Ich kenne nichts Traurigeres als Zirkus", sagte Herškovic. „Die Dressur von Tieren erinnert mich zu sehr an unser Schicksal. Und Auftritte von Clowns bringen mich immer zum Weinen."

160

„Wenn ich Flöhe, Schaben und Wanzen nicht berücksichtige, dann sind hier in der Festung außer einigen Schäferhunden der Gestapo leider überhaupt keine Tiere. Ein Junge in unserem Heim hat in einem Gedicht geschrieben, hier lebten nicht einmal Schmetterlinge:

Mich ruft der Löwenzahn, und auch der weiße Zweig im Hof auf der Kastanie, doch einen Schmetterling hab ich hier nicht gesehn, das war gewiss der allerletzte, denn Schmetterlinge leben hier nicht, im Ghetto.[20]

Ich habe offenbar mehr Glück, einige Schmetterlinge habe ich gesehen. Und auch Bienen und Hummeln. Und Sie werden sich wundern, Felix, auch einen Engel."

„Der ist aber kein Tier", lachte er. „Und wissen Sie, warum Sie das Glück haben, sowohl Schmetterlinge als auch Engel zu sehen? Es ist Ihr Charakter."

„Was für ein Charakter?"

„So wie er ist. Sie sehen die Dinge anders als andere und anders, als sie wirklich sind. Gott sei Dank, denn sonst wären Sie jetzt nicht hier mit einem widerlichen, alten Juden."

Sie gingen nebeneinander über den Marktplatz bis zum Kaffeehaus. Bis auf die Straße war Live-Musik zu hören.

„Dita hat gesagt, sie spielen dort Jazz. Franz hatte Musik auch gern, auch wenn er sie nicht verstand – jedenfalls hat Brod das behauptet. Und Josef, mein Mann, hat sich seinerzeit als armer Student etwas verdient, indem er auf dem Klavier herumgeklimpert hat."

Der Arzt zeigte am Eingang zwei Eintrittskarten vor und schon eilte ihm ein Kellner in schwarzem Anzug und weißem Hemd entgegen. Offensichtlich kannte er Herškovic, denn er behandelte ihn äußerst zuvorkommend und höflich.

„Guten Tag, Herr Doktor. Madam. Folgen Sie mir, für Sie werde ich immer einen Platz finden. Was darf ich Ihnen bringen?"

Theresienstadt, Marktplatz, Blick auf das damalige „Kaffeehaus", 2016

„Für die Dame Champagner mit Erdbeeren, für mich einen französischen Cognac. Und zwei Stücke Sachertorte. Haben Sie nicht Lust auf etwas Besonderes, Madam?"

Ottla bedeckte ihr Gesicht mit der Hand, damit man nicht sah, wie sie sich amüsierte.

„Sie lästern, Felix."

Er zuckte lässig mit den Achseln und breitete die Arme aus, um anzudeuten, man könne sich doch einmal etwas gönnen.

„Ich habe ganz gewöhnlichen Hunger", gestand Ottla. „Ich muss daran denken, was mir Franz einst aus Berlin zum einunddreißigsten Geburtstag gewünscht hat, als er nicht zur Feier nach Prag kommen konnte. Er schrieb:

Ich hätte einfach mein Zimmer ausgeräumt, ein großes Reservoir dort aufstellen und mit saurer Milch füllen lassen, das wäre das Bassin gewesen, über die Milch hingestreut hätte ich Gurkenschnitten. Nach der Zahl Deiner Jahre (die ich mir hätte sagen lassen müssen, ich kann sie mir nicht merken, für mich wirst Du nicht älter) hätte ich ringsherum die Kabinen aufgestellt, aufgebaut aus Chokoladeplatten... Die Kabinen wären mit den besten Sachen von Lippert gefüllt gewesen, jede mit etwas anderem. Oben an der Zimmerdecke, schief in der Ecke, hätte ich eine riesige Strahlensonne aufgehängt, zusammengesetzt aus Olmützer Quargeln. Es wäre bezaubernd gewesen, man wäre gar nicht imstande gewesen, den Anblick lange auszuhalten.[1]

Als ob ich ihn hören könnte."

„Gott", murmelte Felix träumerisch, „Köstlichkeiten von Lippert und Olmützer Quargeln... Aber auch hier ist es mir eine Ehre, Sie zu bewirten. Dieser Kaffee ist zwar etwas fade, viel Zucker haben sie auch nicht, aber immerhin erlaubt es uns, hier anderthalb Stunden zu sitzen, zu plaudern und obendrein eine ganze passable Band hören."

Ottla richtete sich unwillkürlich die Frisur und nahm einen Schluck Kaffee-Ersatz.

„Wenn ich nicht daran denke, wo wir sind, kann ich mich tatsächlich wie vor dem Krieg fühlen. Eine saubere Tischdecke, der Kellner im Anzug, Sie tragen eine Krawatte..."

„Und Sie denken bestimmt an Ihre geheimnisvolle Insel und eine abenteuerliche Reise ins Unbekannte."

Ottla spielte mit ihrer Halskette und sah sich unauffällig um. Die Mehrzahl der Kaffeehausbesucher gaukelte das

163

gleiche Spiel vor, als hätten sie sich auf gewisse Regeln verständigt. Sie trugen ihre beste Kleidung, gingen höflich miteinander um, sprachen leise, wie es sich für ein vornehmes Lokal gehört – als wären sie nicht Ghettohäftlinge, als dauerte der Krieg nicht schon vier Jahre und als hätten sie keine andere Sorgen, als ihren Kaffee zu genießen.

„Es ist auf einmal so merkwürdig windstill, finden Sie nicht, Felix? Die Zeltplanen bewegen sich überhaupt nicht."

„Das verheißt normalerweise nichts Gutes", bemerkte der Arzt. Die Kapelle beendete einen flotten Swing, mehrere Tanzpaare kehrten an ihre Plätze zurück, die anderen applaudierten. „Seit dem 1. Februar ist kein Transport von hier abgegangen. Das sind sechs Monate. Ein halbes Jahr."

„Und wir können heute Abend ausgehen. Das sieht vielversprechend aus", stellte sie mit dem ihr eigenen Optimismus fest.

Das Oktett begann wieder zu spielen. Felix Herškovic forderte Ottla mit einer Verbeugung zum Tanz auf. Er brachte sie damit in Verlegenheit. Vielleicht konnte sie nicht einmal mehr tanzen, aber der Doktor war ein guter Tänzer und führte sie sicher in einem langsamen Foxtrott. Sie fühlte sich in seiner festen Umarmung sicher.

„Ihr Optimismus… Wissen Sie nicht, dass Stürmen Windstille vorausgeht? Ich fürchte, die Deutschen bereiten eine große Aktion vor. Die größte List des Teufels ist doch, wenn er vorgibt, es gebe ihn nicht. Theresienstadt ist wieder gefährlich mit Menschen überfüllt."

In seinem fotografischen Gedächtnis erschien die Zahl 44.672. So viele Juden drängten sich jetzt hinter den Mauern der Festung Theresienstadt.

„Ich bin mit meinen Jungen auf die Reise vorbereitet. Šmulik hat seinen Kompass, wir werden uns nicht verirren. Ich liebe Abenteuer. Ich habe Ihnen bestimmt schon erzählt, dass ich vor längerer Zeit nach Palästina auswandern und irgendwo in der Wüste arbeiten wollte. Auch Franz hat sich für diese Idee begeistert, auch wenn er kein großer Zionist war. Aber das Hebräisch-Studium hat er außerordentlich ernst genommen."

Felix drückte Ottlas Taille so fest, dass sie taumelte.

„Abenteuer... Sie wissen nicht, was Sie sagen. Ich tue alles, um bis zum Ende dieses verdammten Krieges hier zu bleiben. Ich glaube zwar all den Gerüchten nicht, dass er in zwei Monaten enden wird, denn wenn ein Körnchen Wahrheit daran wäre, dann hätte er bereits vor zwei Jahren sein Ende gefunden. Aber er kann nicht ewig dauern. Es wird allerlei gemunkelt."

„Was können Sie tun, um hier zu bleiben? Gehören Sie zu den hiesigen Prominenten oder haben sie solche Beziehungen, dass Sie immer aus den Listen gestrichen werden?"

„Ich vertraue Ihnen ein Geheimnis an", flüsterte Herškovic und senkte seinen Kopf zu Ottla. „Zu mir kommt heimlich ein Patient aus der SS-Lagerkommandantur."

Sie zog sich von ihm zurück. „Sie behandeln einen SS-Mann?"

„Ich bin nicht stolz darauf. Sie sind nicht alle gleich und eine solche Bekanntschaft ist nützlich."

Der Foxtrott endete und die Paare kehrten an ihre Tische zurück.

„Sie haben das offenbar nicht verstanden", fuhr der Doktor leise fort, damit man ihn an den Nachbartischen nicht hörte, „in Theresienstadt haben wir eine Chance, zu überleben. Wir haben doch schon darüber gesprochen. Im Osten sind keine geheimnisvollen Inseln, sondern furchtbare Konzentrationslager. Dieses Ghetto ist unser Schiff und Sie als Kapitän sollten es als Letzte verlassen, aber das wird schon im sicheren Hafen sein."

Ottla sah Felix verständnislos an. Sie verstand seine Metapher nicht.

„Ich tue alles, um mich nützlich zu machen, damit mein Leben irgendeinen Sinn hat. Solange ich diesen Jungen helfen kann, hält mich das am Leben."

„Sie müssen hier bleiben. Sie und Ihre Bengel."

„Ich weiß nicht, ob das in meiner Macht steht", räumte sie ein. „Früher waren wenigstens Kinder unter zwölf Jahren geschützt, zuletzt haben sie aber sogar Säuglinge in den Transport geschickt."

„Ich verteidige das mit der Forderung, dass Familien nicht auseinandergerissen werden dürfen. Welche Rücksichtnahme!" bemerkte Herškovic sarkastisch. Dann sah er Ottla an und sagte: „Entschuldigen Sie, ich wollte Sie nicht angreifen."

Ottla neigte den Kopf. „Wann immer ein neuer Transport eintrifft, zittere ich, ob ich dort nicht meine Mädchen finde. Ich bin doch Jüdin und hier sind auch Kinder aus Mischehen. Andererseits würde ich sie so gern umarmen."

„Die Mädchen sollten in Sicherheit sein. Ihr Vater ist Arier und Sie sind geschieden."

„Wir sind getrennt, das ist doch etwas anderes. Damals vor drei Jahren wollte ich durch diesen Schritt meine Töchter und meinen Mann beschützen."

Der Doktor sah sie ernst an. „Unsinn. Die Ehe mit einem Tschechen hätte im Gegenteil Sie geschützt, wenigstens vorläufig. Bevor Mischehen von den Transporten erfasst werden, wird der Krieg zu Ende sein."

„Was wissen Sie schon? Damals sah alles anders aus."

„Ich würde meine Frau nicht verlassen", erwiderte Herškovic scharf.

Ottla neigte den Kopf zur Seite und erinnerte ihn daran, dass er als Junggeselle nicht vor einer solchen Entscheidung gestanden habe.

„Stellen Sie sich vor, Felix", sagte Ottla und legte ihre Stirn in Falten, „was sich meine verrückte Helena in den Kopf gesetzt hat. Es begann schon letztes Jahr in Prag am Sammelplatz beim Messegelände, als sie bei mir bleiben und nicht nach Hause zurückkehren wollte. Jetzt hat sie sich vorgenommen, rasch einen jüdischen jungen Kerl zu heiraten, der hierher deportiert wird. Aber nur zum Schein, um zu mir kommen zu können. Hier würden sie sich wieder scheiden lassen."

Herškovic seufzte und sagte vorwurfsvoll: „Das kommt davon, dass Sie ihnen solche Märchen schreiben. Wie interessant es hier ist, was sich alles tut, wie begeistert ihr Onkel Franz hier wäre, weil er eine Menge Stoff zum Schreiben fände."

„Ist es denn nicht ein erstaunliches Schauspiel hier, ein unglaublicher Film, in dem auch wir eine kleine Rolle spielen?"

„Vor einer Stunde noch haben Sie behauptet, in keinem Film spielen zu wollen."

„Aber Sie verstehen mich, Felix. Wissen Sie, wie ich mir Gott vorstelle? Gerade wie so einen Kinobesucher. Er be-

167

obachtet uns alle auf der Leinwand, manchmal ist er wütend, manchmal gefällt es ihm sehr, aber er ist nur Zuschauer der Vorstellung, die er zwar, uns Schauspieler eingeschlossen, geschaffen hat, aber jetzt sollen wir tun, was wir für richtig halten. Schließlich will er uns nicht herumkommandieren und Tagesbefehle ausgeben, das würde ihm keinen Spaß machen."

„Ich weiß nicht, was Rabbi Feder zu ihrer Theorie sagen würde. Gott als Zuschauer seines eigenen Films. Immerhin ist das annehmbarer als ihn für das zu verurteilen, was er zugelassen hat."

Sie drehte die Speisekarte. „Hören Sie, Felix, wo ist der Champagner mit den Erdbeeren? Oder haben Sie die Bestellung geändert?"

„Ein solcher Skandal sollte in einem so erlesenen Lokal wie diesem ausgeschlossen sein, aber der Champagner ist ausgegangen. Ich werde beim Ältestenrat Beschwerde einlegen. Ich habe Eiskrem bestellt, es ist so heiß hier."

Ottla berührte seine Hand. „Warum legen Sie so großen Wert darauf, in Theresienstadt zu bleiben?"

Herškovic holte tief Luft. „Ich kann hier meine Arbeit machen. Ich habe hier meine Ordination und behandle. Das durfte ich als Jude in Prag nicht mehr, nachdem sie uns aus der Ärztekammer geschmissen hatten." Er trank einen Schluck Kaffee und ließ ihn sich auf der Zunge zergehen. Das Einzige, was man diesem klaren Getränk zugute halten konnte, war der süßliche Geschmack.

„Mir kam jetzt so ein bösartiger Gedanke, was sich meine arischen Kollegen damit eingebrockt haben, dass sie uns losgeworden sind. Drei von fünf Ärzten waren Juden – sie können sich ausmalen, wie das jetzt in den Praxen und Wartezimmern wahrscheinlich aussieht. Die armen Kerle müssen vermutlich Tag und Nacht arbeiten, um den Patientenansturm zu bewältigen."

„Sie haben einen eigenartigen Humor", sagte Ottla lächelnd. „Versuchen Sie wie ich, sich nützlich zu machen. Falls die Mehrheit Ihrer Patienten deportiert wird, sollten Sie mit ihnen fahren, um ihnen zu helfen."

„Und wenn ihnen gar nicht mehr zu helfen wäre und dies lediglich eine Selbstmordgeste darstellen würde?"

„Zum Glück sind die Transporte eingestellt worden."

„Wir haben doch schon darüber gesprochen", sagte Dr. Herškovic müde.

„Das ist nur die Ruhe vor dem Sturm." Er rief den Kellner: „Ich möchte bezahlen."

***

Tauba Feigel ist eine weitere Figur, mit der ich Ottlas Welt bevölkere. Sie ist Hilfskraft in ihrem Kinderheim L 417. Sie stammt aus einem kleinen Dorf bei Lemberg, heiratete einen tschechischen Juden, den sie während des Ersten Weltkriegs kennengelernt hatte, als er in Galizien für die kaiserliche österreichisch-ungarische Monarchie kämpfte. Ihr Mann erhängte sich 1940, den Söhnen gelang die Flucht nach Palästina, und so blieb sie allein. Sie war seit seiner Einrichtung im Juli 1942 im Kinderheim. Es gab dort derzeit zehn Kindergruppen, und Tauba Feigel durchlief nach und nach einige von ihnen.

Sie begann unter Walter Eisinger, aber seine Prinzipien kommunistischer Erziehung und Bewunderung für die Sowjetunion, worüber sie, einer orthodoxen galizischen Familie entstammend, das Ihre wusste, und ihre eigenen Vorstellungen von der Arbeit mit Jugendlichen lagen zu weit auseinander. Ihrer Meinung nach sollte diese vor allem auf der Erziehung zum Glauben an Gott beruhen. Auf dieser Grundlage ergab sich alles andere von selbst. Dass die Mehrzahl der Jungen religiös eher halbherzig war, spornte sie zu umso größerer Aktivität an.

Der Baum muss doch gebogen werden, solange er jung ist. Sie versuchte, ihnen das zu ersetzen, was sie an häuslicher Erziehung nicht erhielten. Sie verstand nicht, warum die Menschen gerade hier den Glauben an Gott verloren. So oft hörte sie den Frevel, wenn er denn existierte, würde er so etwas nicht zulassen.

Schließlich begingen die Menschen Sünden, nicht Gott, der ihnen mit dem Leben auch die Freiheit schenkte. Sie sagte den Jungen, es sei doch nicht Gottes Schuld, wenn ein Dieb jemandem die Brieftasche stehle, wie also könne man ihn für das verantwortlich machen, was hier geschehe.

Zwar machte ihr niemand von den leitenden Erziehern Vorschriften, aber ihr war bewusst, dass sie im besten Fall als etwas kauzig wahrgenommen wurde. So war es jedenfalls bei den verschiedenen Betreuern, bei denen sie nach und nach eingesetzt war, bis sie schließlich in dem Heim landete, in dem Ottla arbeitete. Tauba Feigel war zwar noch keine fünfzig, aber sie sah aus, als wäre sie zehn Jahre älter, deshalb dachten alle, sie sei von allen Erziehern die älteste, älter als Ottla. Wie sich zeigte, hatte diese für die eigentümliche Frau größtes Verständnis. Zudem waren bei Ottla die jüngsten Jungen, und diese nahmen Taubas Persönlichkeit nicht so kritisch wahr. Aber gleichwohl versetzten sie Tauba Feigel am 10. August in höchste Aufregung. Zwei von ihnen versteckten sich unter einem Bett, und als die Erzieherin vorbeikam, begannen sie zu kreischen und mit verstellter Stimme zu rufen, Gott existiere nicht.

„Vas cu tan? Šliktr! Vis, vis! Gvind!" schrie Tauba jiddisch, ohne sich in ihrer Erregung bewusst zu sein, dass die Jungs sie nicht verstanden.

Ottla zwinkerte Doktor Herškovic bedeutungsvoll zu, mit dem sie gerade in ihrem Kämmerchen die Möglichkeiten im Kampf gegen die Läuseplage besprach, und platzte brüsk in das Zimmer der Jungen. „Was ist los? Ein Aufstand der Matrosen gegen meine Adjutantin?" Tauba stand mitten im Raum zwischen den dreistöckigen Etagenbetten und winkte mit den Armen wie ein Windmühle.

„Es is ojch. Das muss ich doch nicht ertragen! Ich lasse mich zu den Meschuggen versetzen."

„Im Irrenhaus würde es Ihnen nicht besser ergehen, Tauba", Ottla konnte ein Lachen nicht unterdrücken, obwohl sie sich an ihr Jiddisch bereits gewöhnt hatte.

„Nein? Dann in den nächsten Transport nach Osten. Ich habe das ohnehin erwogen, als sie hier das Krematorium gebaut haben. Ich bin schon eine alt froj und lasse mich nicht verbrennen wie irgendein Ungläubiger. Da im Osten weiß man, was sich gehört und was Toten zusteht, man wird ein schönes Kaddisch für mich beten… *Jizkor elohim nišmat imi morati Tauba bat Rivka Feigel šehalecha leolam*… Vielleicht wird mir nach einem Jahr jemand einen Grabstein errichten, auf dem stehen wird, dass hier eine arme Frau liegt, die gottlose Kinder zu Tode gequält haben."

Ottla schimpfte die Jungen aus und kehrte dann zu dem Doktor zurück. „Eine bemerkenswerte Person", meinte er. „Ich gehe davon aus, dass sie die Drohungen nicht ernst meint."

„Wohl nicht, sie regt sich hin und wieder auf… Jetzt sind die Jungen für sie die größten Gauner, aber in einer Weile sind es wieder *min jiddische kindr*."

Doktor Herškovic wollte schon aufbrechen. Aber Ottla hatte noch eine Frage auf dem Herzen, die sie immer wieder aufgeschoben hatte.

„Dita hat etwas von Vorbereitungen für einen neuen Transport aufgeschnappt."

„Also horchen auch Sie mich schon aus?"

„Angeblich wollen die Deutschen Leute zum Bau militärischer Festungen nach Osten bringen. Weil ihnen die Russen an der Front ordentlich eins auf die Mütze geben. Dann wäre meine Geschichte von der Besiedlung einer geheimnisvollen Insel nicht ganz so…"

Herškovic packte Ottla fest an den Schultern. „So ein Bonkes über gute Transporte haben wir doch schon gehört, Kapitän. Etwas wird an der russischen Offensive dran sein. Bis Februar lieferten die Deutschen dem Ältestenrat noch *Der neue Tag*, so dass die jüdische Selbstverwaltung über gewisse Informationen verfügte, wenn auch aus der offiziellen Presse. Aber Sie wissen, wie Juden sich darauf verstehen, zwischen den Zeilen zu lesen. Jetzt sind alle Zeitungen verboten und auf die Lektüre steht Strafe. Seit der Niederlage bei Stalingrad geht es bergab mit ihnen, aber machen Sie sich keine Illusionen, Russland ist weit weg. Es werden weiter Transporte von hier abgehen, und bestimmt keine guten Arbeitstransporte."

„Wir sind darauf vorbereitet", sagte Ottla gefasst.

„Kennen Sie diese Geschichte aus dem Talmud?"

„Sie und der Talmud?"

Herškovic zuckte mit den Achseln. „Es gehen zwei durch die Wüste und einer trägt ein Behältnis mit Wasser. Es ist nur wenig, kaum ausreichend für einen von ihnen. Beide haben Durst. Was würden Sie machen an der Stelle desjenigen, der das Wasser hat?"

„Ich würde es teilen", sagte Ottla ohne zu zögern.

„Dann würde keiner von euch beiden überleben. Rabbi Akiva behauptet, das Wasser solle jener trinken, der das Behältnis trägt. Nach seiner Auslegung lehrt uns die Tora, dass wir zwar unseren Nächsten helfen sollen, aber nicht zum Preis der Selbstvernichtung."

Ottla verstand, was Felix damit andeuten wollte.

„Das sind nur Reden. Rabbi Akiva war nicht in Theresienstadt eingesperrt. In dieser Wüste hätte doch auch ein Wunder geschehen und beide retten können."

Herškovic winkte verächtlich ab. „Wunder liegen allein in Gottes Kompetenz. Und er hat sie schon lange ausgeschöpft. Das Leben und Überleben liegt ganz allein an uns. Das ist doch auch Ihre Devise. Falsche Gesten, die allenfalls Ihr Gewissen beruhigen, sind unangebracht. Das ist der Sinn dieses Gleichnisses."

***

Dita war so glücklich, dass sie ihr Erlebnis mit jedem teilen wollte. Sie berichtete Ottla: „Ich war mit Ervín heute Nachmittag auf der südlichen Bastion. Wissen Sie, die Sonne schien so herrlich und der Himmel war ganz klar. Wir konnten kilometerweit sehen, Richtung Leitmeritz… All diese besonderen Hügel, Wiesen und Wälder am Horizont. Auch die hässlichen hiesigen Kasernengebäude sahen von da oben in diesem Licht ganz aus. Und Ervín sagte plötzlich: Ist es nicht trotzdem schön hier, Dita?"

Ottla lächelte und musste daran denken, dass sie selbst erst kürzlich ein ähnlich euphorisches Gefühl empfunden hatte, als sie mit Felix ins Kaffeehaus gegangen war.

„Hör zu, Edita, du bist doch nicht etwa verliebt? Denn du bist vollkommen verwandelt. Du strahlst wie die heutige Augustsonne."

„Ich bitte Sie! Sie haben ja Einfälle. Verliebt?" zierte sich das Mädchen und wusste nicht, wo sie hinschauen sollte.

„Gib es ruhig zu, man sieht es dir an."

„Ist es etwa schlimm, hier verliebt zu sein?"

„Ich wünsche es dir von ganzem Herzen. Weißt du was? Wenn du das nächste Rendezvous hast, leihe ich dir meine Halskette. Überhaupt, wer ist denn der Glückliche? Kenne ich ihn?"

„Das habe ich Ihnen doch schon gesagt." Dita war enttäuscht, das Ottla etwas so Wichtiges wie ihren Freund vergessen konnte. „Ervín Tauber. Er ist siebzehn. Ein Jahr älter als ich."

Ottla erkannte an, dass dies schon ein erwachsener Mann war.

Das Mädchen grinste. „Meinen Sie das ernst? Wenn Sie ihn gesehen hätten… So ein Torpedo mit abstehenden Ohren. Und ein Knirps, kaum größer als ich. Aber er versteht es, alles zu besorgen und zu organisieren. Er ist kein Waise wie ich, hat Vater und Mutter hier. Sein Vater arbeitet bei der Selbstverwaltung. Sie wohnen alle in der Magdeburger Kaserne."

„Dann sind sie ja Honoratioren", bemerkte Ottla.

„Denken Sie wirklich, dass ich verliebt bin? Woran erkennt man das? Ich hatte noch nie einen Freund. Als ich hierher kam, war ich vierzehn. Ich bin im Waisenhaus aufgewachsen. Darf ich Sie etwas fragen?"

Ottla nickte.

„Waren Sie auch schon verliebt?"

„Da ich letztes Jahr fünfzig geworden bin, habe ich im Leben schon einiges hinter mir…"

„Also waren Sie oder waren Sie nicht?"

„Sicher, aber das ist lange her. Und es war gar nicht einfach. Seine Eltern wollten nicht, dass er mit einer Jüdin verkehrt. Sie waren Katholiken und… nun, auch meine Eltern waren nicht begeistert. Aus der ganzen Familie unterstützte mich nur mein Bruder. Er mochte Pepík."

„Also… Als Sie diese Liebschaft hatten, was haben Sie gemacht?"

„Was ist das für eine Frage? Was hätte ich deiner Meinung nach denn tun sollen?"

„Gerade das kann ich mir überhaupt nicht vorstellen. Wir können jetzt, nachdem sie das abendliche Ausgehverbot aufgehoben haben, zu den Wällen gehen. Wir halten uns an den Händen, küssen uns und schauen in die Ferne, aber Sie…"

„Meine Věra zum Beispiel ist mit ihrem Freund ins Café *Slavia* gegangen, wo sie sich mit ihren Freunden getroffen haben." Ottla lächelte bei dieser Erinnerung.

„Vor meinem Mann durfte darüber zu Hause nicht gesprochen werden. Er hasste diese Kreise geradezu. Für ihn waren das alles leichtsinnige Freidenker, denen anständige Menschen, seine Töchter eingeschlossen, aus dem Weg gehen sollten."

„Was ist daran zum Lachen?" fragte Dita verständnislos.

„Da verkehrte zum Beispiel eine Malerin, sie nannte sich Toyen. Sie kleidete sich wie ein Mann, trug niemals einen

175

Rock, immer nur Hosen. Wie unsere Mädels aus der Landwirtschaft, wenn sie aufs Feld gehen."

„Und Sie selbst?"

Ottla schloss die Augen. „Das ist schon so viele Jahre her. Als wäre es gar nicht wahr. Manchmal sind wir in die Konditorei *U Myšáka* in der Vodičkova-Straße gegangen."

Dita brach in Lachen aus. „U *Myšáka*? Beim *Mäuserich*? Nicht zu glauben! Mäuse haben wir hier auch, aber am meisten soll es auf den Dachböden geben, wenigstens sagt das Ervín…"

Ottla fand es plötzlich auch zum Lachen. „Unser Theresienstadter Kaffeehaus könnte sich wirklich nicht nach dem *Mäuserich* benennen! Einmal waren wir auch im Café *Louvre*. Mein Bruder ging oft dorthin – ich habe dir von ihm erzählt… *U Myšáka* hatten sie phantastische Torten. Ganz Prag verkehrte dort. Wir saßen in gemütlichen Ledersesseln, unten ratterten die Straßenbahnen vorbei, erklangen Autohupen. Zur Torte haben wir uns einen Kaffee gegönnt… Jeder konnte sich Zeitungen oder Magazine mit Fotos berühmter Schauspieler nehmen und lesen oder nur darin blättern."

„Sie werden doch nicht gelesen haben, wenn Sie mit Ihrem Schatz dort waren…"

„Manchmal habe ich auch gelesen, warum nicht… Damals waren gemeinsame Momente für uns nicht so kostbar wie hier für dich. Wir konnten bis in die Nacht in Prag herumziehen."

Dita zwinkerte bedeutungsvoll. „Auch hier kann man bis zum Abend einiges unternehmen."

„Du solltest vorsichtig sein. Ich hoffe, dein Ervín ist vernünftig."

176

„Der und vernünftig? Warum auch? Alle haben hier jemanden, alle Mädchen, die ich kenne, haben einen Freund und wollen Spaß haben, solange es geht. Kennen Sie Hanka Fischer aus dem Mädchenheim L 410? Diese Großgewachsene, von allem Mädchen hat sie den größten Busen. Sie ist schon nicht mehr hier, erhielt die Vorladung zum Januar-Transport, aber bevor sie den antreten musste, sagte sie einem der Jungen, dass sie nicht unschuldig wegfahren wolle, also… Wissen Sie, was ich meine?"

„Sie musste sich damit nicht so beeilen."

„Das ist schwer", sagte Dita nachdenklich. „Angeblich wollte sie nicht sterben, ohne das erlebt zu haben."

Ottla sah ihre Helferin streng an.

„Warum gleich ans Sterben denken, so ein junger Hüpfer."

Dita schürzte unschlüssig die Lippen. „Sie wollte eben sichergehen. Daran ist doch nichts so Schlechtes."

„Um Himmels Willen, wenn du hier in andere Umstände kommst, dann ist es aus mit dir."

„Wie könnte ich in andere Umstände kommen, wo wir doch nicht verheiratet sind? Ich bin nicht wie Hanka. Keine Sorge, nichts wird passieren. Verraten Sie mir lieber, wie so eine Torte vom Myšák schmeckt!"

„Sie zergeht dir förmlich auf der Zunge. Sie besteht aus Butter, Mandeln, Schokolade, Schlagsahne. Oder Gelatine und Obst."

Dita senkte selig die Augenlider. „Gott, das haben sie hier in unserem Kaffeehaus nicht, auch wenn süßer Kaffee schon ein Wunder ist. Wissen Sie, was ich dort als größten Leckerbissen hatte? Brot, bestrichen mit Margarine und mit Zucker bestreut. Da kann diese Torte von *Myšák* kaum besser sein."

„Ich muss zugeben, dass ich oft an allerlei Köstlichkeiten denke."

Ottla fiel ein, dass auch Dita stets irgendeinen Leckerbissen erhielt, wenn sie von den Töchtern ein Paket mit Lebensmitteln bekam. Vielleicht gab sie das aber auch gleich an die Jungen weiter.

„Hier denkt doch jeder dauernd an Essen, mir geht das manchmal auf die Nerven. Die Mädchen tauschen untereinander Rezepte aus, als hätten sie mittags zu kochen. Oft weiß ich nicht einmal, was sich hinter all den Zutaten verbirgt", sagte Dita. „Wovon träumen Sie?"

„Du wirst dich wundern, aber gute, duftende Tomaten oder rote Paprika. Hättest du gedacht, dass ich Vegetarierin war. Wegen meines Bruders habe ich kein Fleisch gegessen."

Dita konnte das nicht verstehen. Was hätte sie für ein ordentliches Stück Rindfleisch gegeben. Wenn sie zufällig in der Suppe ein winziges Stückchen Fleisch fand, war das für sie ein Feiertag.

„Franz hat kein Fleisch gegessen, aber als er krank wurde, haben unsere Mutter Julie und die Ärzte ihn überzeugt, dass Fleisch gesund sei und ihn zu Kräften bringen würde. Da habe ich ihm versprochen, an seiner Stelle Vegetarierin zu werden."

„Mein Gott", Dita schüttelte den Kopf, „das würde ich wahrscheinlich nicht für Ervín tun."

Ottla lächelte. „Es fiel mir zwar nicht leicht, aber auch nach dem Tod meines Bruders habe ich kein Fleisch gegessen. Ich habe mir immer vorgestellt, dass dafür unschuldige Tiere getötet werden müssen. Für Josef und die Mädchen habe ich normal gekocht, aber für mich habe ich nur zum Beispiel Kartoffeln mit Kohl gemacht. Na und siehst du, hier ist der Vegetarismus kein Problem. Wenn es nur irgendwelches vernünftiges Gemüse gäbe. Diese zerkochten Rüben..."

„Ja eben, abscheulich. Dabei muss noch froh sein, wer in dieser Wasserbrühe etwas davon findet. Ich habe immer die Mädchen in der Landwirtschaft beneidet, die auf den Feldern alles Mögliche verputzen können. Aber so lustig haben die es auch nicht. Ich kenne so ein Mädel, die auf *Kreta* (am westlichen Rand von Theresienstadt) in den Gewächshäusern und den Beeten arbeitet. Sie hat erzählt, als die Tomaten reif waren hätten sie sie gestohlen und ununterbrochen in sich hineingestopft, als der Wachmann nicht aufpasste. Nur ging dieser dann nach jeder auf die Latrine und besah sich ihre Hinterlassenschaft dort... Und fand darin die Schalen dieser Tomaten. Er hat eines der Mädchen geschlagen bis es Blut gespuckt hat. Und gedroht, wenn er noch einmal in ihrer Scheiße, entschuldigen Sie bitte, irgendwelche Tomatenschalen oder Gurkenkerne fände, werde er sie alle ins Gefängnis oder in den nächsten Transport stecken. Verstehen Sie? Für ein blödes Stückchen Tomate in den Transport gehen?"

Durch das Parterrefenster eines Hauses an einem um den Hals gelegten Strick hineingezogen und ohne Rücksicht, wie von einem, der nicht achtgibt, blutend und zerfetzt durch alle Zimmerdecken, Möbel, Mauern und Dachböden hinaufgerissen werden, bis oben auf dem Dach die leere Schlinge erscheint, die auch meine Reste erst beim Durchbrechen der Dachziegel verloren hat.

FRANZ KAFKA, TAGEBÜCHER, 21. 7. 1913[10]

***

Ich habe Dutzende von Büchern und Studien über das Leben in Theresienstadt gelesen, ich kenne Tagebücher von Häftlingen und habe mit vielen Menschen gesprochen, die das Glück hatten, zu überleben. Ihre Erinnerungen sind subjektiv und können nicht einfach verallgemeinert werden. Einige haben während der Kriegszeit sämtliche Verwandten verloren, andere Familien hatten keine Verluste zu beklagen. Theresienstadt wird gelegentlich als Vorhölle bezeichnet, als Übergangsstation vor der letzten Reise in den Tod. Frau Anna, mit der ich mich oft unterhalten habe, sagte mir, sie sei damals jung gewesen und habe an Theresienstadt nicht nur schlechte Erinnerungen. Auch dort erlebte sie Momente, in denen sie glücklich war und lachen konnte. Das Verlangen nach dem Leben wird auch unter diesen entsetzlichsten Bedingungen genährt von Hoffnung und der Fähigkeit, vergängliche Augenblicke zu genießen.

Es war gerade ein Jahr seit Ottlas Deportation nach Theresienstadt vergangen. Ihr Leben spielte sich in den relativ friedlichen und gleichbleibenden Alltagsabläufen des Kinderheims ab, beginnend mit dem morgendlichen Wecken, der ständigen Sorge um die ihr Anvertrauten, und endend in der Nacht, wenn sie sich erschöpft auf ihre Pritsche legte. Sie hatte sich an all die Einschränkungen, den Verlust der Privatsphäre und die Zukunftsängste gewöhnt. Genauer gesagt versuchte sie, nicht daran zu denken, was morgen, in einer Woche, einem Monat sein würde.

Die Sehnsucht nach ihren Töchtern wuchs von Tag zu Tag, aber was ausschließlich ihre nackte Existenz, ihr Überleben betraf, versuchte sie geduldig und tapfer zu ertragen. Die Arbeit mit den Kindern half ihr, und sie stellte ihre Sinnhaftigkeit nicht in Frage.

Ideologische Streitigkeiten einzelner Betreuer und Erzieher untereinander, wozu die Kinder zu erziehen seien, waren nicht wichtig für Ottla. Ihre Jungen waren noch zu klein. Aber es sollte alles anders werden.

Ankunft der Kinder aus Białystok

An jenem Sommerabend des 24. August regnete es in Theresienstadt. Die jüdische Selbstverwaltung erließ ein Ausgangsverbot und untersagte es auch, Fenster zu öffnen, als stehe die Ankunft weiterer Transporte ins Ghetto bevor. Im Tagesbefehl des Ältestenrates waren aber keine solche angekündigt worden. Die Verbote hatten auch nichts mit dem Wetter zu tun. Die Jungen aus Ottlas Zimmer schauten in Erwartung eines Abenteuers in die verlassenen Straßen des Ghettos, wollten nachschauen, was sich dort draußen tue. Vergeblich ermahnten die Erzieher sie.

„Da regnet es doch nur und es bilden sich Pfützen", sagten sie zu Ottla und verstanden die Ermahnungen nicht. Auch Ottla konnte nicht wissen, was bevorstand.

„Na eben, habt ihr noch nie Regen gesehen? Wenn euch da draußen jemand erwischt, werdet ihr ins Gefängnis gesperrt", mahnte sie.

Als sie in ihr Kämmerchen zurückkehrte, sagte sie zu Dita, sie empfinde diese dicke Luft als unerträglich. Dita hatte morgens kurz ihren Freund gesehen, der ihr eine große Neuigkeit berichtet hatte. Sie schauderte, als sie es Ottla erzählte.

„Ervín hat von einem SS-Mann gehört, am Morgen sei ein großer Transport mit Kindern aus Polen angekommen. Es sind über tausend. Angeblich sind sie noch in den Waggons und werden nicht herausgelassen. Wahrscheinlich passieren sie nicht einmal die Schleuse."

Das war in der Tat ungewöhnlich. Ottla wollte mehr wissen, aber Dita hatte von Ervín nur noch erfahren, sie seien nach langer Fahrt aus irgendeinem *Bjelostock* oder so ähnlich gekommen. Den Namen der Stadt hatte sie nicht gekannt.

Aus dem Zimmer der Jungen waren aufgeregte Stimmen zu hören. Ottla und Dita beeilten sich, nachzusehen, was los war. Die Jungs klebten mit den Nasen an den Fenstern. Dita schob zwei von ihnen beiseite. Die Straße war von flackernden Lampen nur schwach erleuchtet, aber trotzdem konnten die Frauen am entfernten Ende der Straße eine lange Kolonne kleiner Gestalten erkennen, die von bis an die Zähne bewaffneten SS-Männern begleitet wurden. Sie näherten sich dem Gebäude des Knabenheims und so waren die Kinder trotz des dichten Regens immer deutlicher zu erkennen. Ottlas Herz krampfte sich zusammen. Obwohl sie an manches gewohnt war, solchen elenden Gestalten war sie noch nicht begegnet. Sie trugen zerrissene Lumpen, einige waren barfuß und schleppten sich mühsam weiter.

„Schneller, schneller", bellten die Soldaten mit Knüppeln in den Händen, als hätte es irgendeinen Sinn, sie zur Eile zu treiben.

„Sie sind nur Haut und Knochen, vollkommen fertig", flüsterte Dita. „Wohin jagen sie sie nur?"

„Wahrscheinlich in die Brauerei zur Desinfektion in den Duschen", meinte Ottla. „Ich sollte ihnen helfen gehen."

„Denken Sie nicht einmal daran!" sagte Dita so entschieden, dass sie über sich selbst erstaunt war.

Rafi drückte Ottlas Arm. „Siehst du das, Kapitän? Sie werden sie doch wohl nicht zu uns ins Heim bringen?"

Ottla zog die Jungen vom Fenster weg. „Das solltet ihr euch nicht anschauen."

Aber das schreckliche Schauspiel lockte die Jungen an.

„Sie stecken sie nicht zu uns! So eine dreckige Ernte."

Ottla machte ein ernstes Gesicht und reagierte mit einer scharfen Ermahnung auf diese Worte.

„Du willst sie hier haben, nicht wahr?" Šmulik zog mit zwei Fingern an ihr. Sie nahm seinen Kopf in ihre Hände. Er fixierte sie mit seinen riesigen, dunklen Augen. „Ist es nicht so? Damit du ihnen helfen kannst."

Ottla wusste nicht gleich, was sie antworten sollte.

„Ist das denn nicht richtig, Šmulik?"

Der kleine Kerl drückte sein Gesicht an ihre Hüfte. „Du hast doch uns."

„Das ist die heilige Wahrheit. Ihr seid meine Jungs."

„Du kannst dich doch nicht um alle kümmern. Wir waren zuerst da. Sie würden dich uns wegnehmen."

Ottla spürte einen Stich in ihrem Herzen. „Warum denkst du das, Šmulik?"

„So bist du…" seufzte der Junge traurig.

„Da geht Doktor Herškovic mit ihnen", sagte Dita. „Sehen Sie ihn?"

Tatsächlich wurden die mehr als tausend polnischen Kinder zum Gebäude der ehemaligen Theresienstadter Brauerei gebracht, wo für das Ghetto ein Bereich mit Gemeinschaftsduschen eingerichtet worden war, sowie Kammern mit der Aufschrift *Gas*, wo die Kleidung und die Bettwäsche der Häftlinge mit Gas desinfiziert wurden. Die Kinder wurden in Gruppen unterteilt, in denen sie nacheinander die Reinigungsprozedur durchlaufen sollten. Die erste Gruppe von Jungen sollte sich ausziehen, ihre Kleidung abgeben und dann zu den Duschen gehen.

Unter den Kleinen brach Panik aus. Sie schrien, rannten durcheinander und versuchten mit allen Mitteln in den Hof zu gelangen, wo unterdessen weitere Kinder im Regen warteten.

Die SS-Männer wurden immer wütender, weil ihr Versuch, die Jungs in die Dusche zu bringen, sein Ziel verfehlte.

Doktor Herškovic griff sich den ältesten Jungen und nahm ihn beiseite.

„Warum führt ihr euch so auf? Ihr sollt doch nur duschen gehen."

Der großgewachsene Junge sah ihn misstrauisch an, die Hände zu Fäusten geballt.

„Du verstehst mich offenbar nicht", sagte Herškovic so ruhig wie möglich.

„Duschen. Was kann das auf Polnisch heißen? Špric!"

„Prysznic *(Dusche)*?" flüsterte der Junge.

Der Doktor nickte. „Sicher, *prysznic*. Ihr müsst euch mit warmem Wasser waschen."

Der kleine Kerl sagte nichts und schüttelte nur ungläubig den Kopf.

„Wovor fürchtet ihr euch?"

Der Junge zeigte auf die Schilder. „Nie pójdziemy dobrowolnie do gazu. – *(Wir gehen nicht freiwillig ins Gas.)*"

Herškovic versuchte ihm zu erklären, dass doch nur ihre verlauste Kleidung mit Gas behandelt würde. Wer würde denn Kinder ins Gas schicken? So ein Unsinn!

„Oni, Niemcy. Gaz znaczy śmierć. – *(Sie, die Deutschen. Gas bedeutet Tod.)*" sagte der Junge ernst. „Wiemy o tym. W gazie zamordowali naszych rodziców. – *(Wir wissen es. Sie haben unsere Eltern mit Gas ermordet.)*"

„Wovon, zum Teufel, redest du?" wandte er sich an ihn. Er wusste, dass er die Situation unter Kontrolle bringen musste, bevor die SS-Männer die Nerven verlieren und die Kinder schlagen würden, um ihren Gehorsam zu erzwingen.

„Dann gehe ich mit euch unter die Dusche", bot er ihm an. „Ich bin ein Jude wie ihr. Siehst du – ich trage den Davidstern. Rozumiesz *(Verstehst du)*? Kommt mit mir. Seht ihr, hier fließt warmes Wasser…"

Der nackte Junge streckte die Hand aus und ließ Wasser darüber laufen. Er sammelte es in der Handfläche und trank vorsichtig. Dann spritzte er sich mit beiden Händen Wasser ins Gesicht. Aber er war immer noch nicht davon überzeugt, dass dies keine Falle war. Herškovic hatte sich unterdessen ausgezogen und sich unter die nächste Dusche gestellt.

Der Junge machte einen zögerlichen Schritt in seine Richtung und drehte sich zu den anderen hin.

„Chodźcie, chłopcy! Lepiej jest umrzeć od gazu, niż być spalony w ogniu. *(Kommt, Jungs! Es ist besser, im Gas zu sterben, als im Feuer verbrannt zu werden.)*"

Die anderen begannen zögernd, unter die Duschen zu gehen.

Du bist gar nicht müde, sondern unruhig, sondern fürchtest Dich nur einen Schritt zu tun auf dieser von Fuß-Fallen strotzenden Erde, hast deshalb eigentlich immer beide Füße gleichzeitig in der Luft, bist nicht müde, sondern fürchtest Dich nur vor der ungeheueren Müdigkeit, die dieser ungeheueren Unruhe folgen wird und (Du bist doch Jude und weißt was Angst ist) die sich etwa als blödsinniges Hinstieren denken läßt, besten Falls, im Irrenhausgarten ...

FRANZ KAFKA AN MILENA JESENSKÁ, 2. 6. 1920[28]

Die ganze Prozedur des Duschens und der Desinfektion von tausend Kindern dauerte einige Stunden, aber Felix Herškovic war schon nicht mehr dabei. Die Deutschen schickten ihn resolut weg. Sie wollten nicht, dass tschechische Häftlinge in die Nähe der Polen kamen. Herškovic war von dem, was er gesehen und gehört hatte, so verstört, dass er zu Ottla gehen und ihr die Neuigkeiten anvertrauen wollte, aber es war schon spät und nach der Sperrstunde durch die Straßen des Ghettos zu laufen, bedeutete, sich für das Gefängnis zu bewerben.

Im Rahmen seiner regelmäßigen Visite in den Zimmern des Kinderheims L 417 am nächsten Tag ging er dann aber auch zu seiner Freundin. Ihre Schicht bei den Kindern begann erst mittags.

Ottla sagte ihm, sie hätten ihn gestern beim Blick aus den Fenstern gesehen, als er mit der polnischen Kolonne zur ehemaligen Brauerei ging. Sie fügte hinzu, im Blick auf den erbärmlichen Zustand der Kinder habe sie zu Hilfe eilen wollen, sei aber schließlich zu dem Schluss gekommen, dass die Deutschen sie nicht einmal in ihre Nähe gelassen hätten. Sie war erleichtert, als Felix ihr dies bestätigte.

„Mich haben sie zumindest anfangs geduldet, bis die erste Gruppe unter die Duschen gegangen ist. Ich bin Arzt, deshalb war meine Position etwas anders", sagte er Ottla. „Aber dann haben sie mich trotzdem fortgejagt, damit ich nicht bei ihnen bin."

„Ist es so schlimm?"

187

Herškovic sah Ottla ernst an und nickte.

„In jeder Hinsicht."

Ottla strich sich unwillkürlich ihre weiße Schürze glatt und fuhr sich mit der Hand durch die Haare.

„Ich weiß nur das, was ich vom Fenster aus gesehen habe. Unterernährung, Schockzustand..."

„Mangelernährung ist nur eine Seite der Sache. Diese Kinder müssen monatelang gehungert haben. Sie sind verlaust, voller Wunden, eine Reihe von ihnen offensichtlich sehr krank, aber all dies würde sich mit der Zeit beheben lassen, wenn sie vernünftig zu essen und ärztliche Versorgung erhielten. Nicht zu reden von anständiger Bekleidung, denn in solchen Lumpen sehen Sie selbst hier niemanden."

„Denken Sie, dass man sie in Theresienstadt wieder auf die Beine bringen könnte?" fragte sie skeptisch.

„Die meisten bestimmt, sie sind jung", versicherte ihr Herškovic. „Aber schlimmer sieht es mit ihrer Psyche aus. Bis ich sie überzeugt hatte, dass sie sich nicht vor dem Duschen fürchten müssten, benahmen sie sich wie Tiere, die von einem Raubtier in die Enge getrieben werden. Sie hatten unvorstellbare Angst und interpretierten jede meiner Bewegungen als Angriff."

Ottla seufzte tief.

„Wovor hatten sie solche Angst?"

Herškovic senkte den Kopf und kratzte mit einem Fingernagel über die Tischplatte.

Zeichnung Leo Haas: Der Transport der Kinder aus Bia-łystok in Theresienstadt (Text auf der Rückseite siehe Ab-bildungsverzeichnis)

„Sie müssen die Hölle erlebt haben", sagte er nachdenk-lich. „Da war ein älterer Junge, vierzehn, fünfzehn Jahre alt, vielleicht mehr, schwer zu erkennen. Von ihm habe ich dann doch etwas erfahren. Sie wurden aus dem pol-nischen Białystok hierher gebracht, wo sie im Ghetto ge-lebt haben. Die Deutschen wollten das Ghetto liquidieren und alle Juden in Konzentrationslager bringen. Das ist offenbar gleichbedeutend mit dem Tod."

Unter Ottla schien langsam der Boden zu versinken.

„Das kann ich nicht glauben", flüsterte sie. Sie wandte den Blick zur Tür, konnte Felix nicht in die Augen sehen.

„Jedenfalls haben die Juden in Białystok einen Aufstand gewagt. Sie hatten nichts zu verlieren, aber sie hatten auch keine Chance, zu gewinnen. Es kam zum Massenmord an ihnen. Sie haben sie vor den Augen dieser Kinder erschossen, niedergemetzelt. Überlebende Kinder haben die Deutschen dann in Züge gezwängt und weggebracht. Unterwegs hielt der Zug in Auschwitz, und die Kinder, die sichtbar im schlechtesten Zustand waren, blieben dort. Dann fuhr der Transport hierher nach Theresienstadt. Es sind eintausendzweihundert Kinder."

„Also haben sich die Unseren in diesem Białystok gegen die Deutschen aufgelehnt?"

„Wie die Makkabäer gegen die Griechen", antwortete der Arzt. „Im April gab es offenbar auch einen Aufstand in Warschau."

Ottla kniff die Augen zusammen.

„Und wir sitzen hier und falten die Hände im Schoß."

Herškovic trat zu ihr heran und fasste sie fest an den Schultern.

„Vielleicht ist der rechte Augenblick noch nicht gekommen. Auch hier finden Sie zu allem entschlossene Leute."

Ottla neigte den Kopf. „Wirklich? Mir scheinen hier alle resigniert zu haben. Man beugt gehorsam den Rücken und versucht zu überleben."

„Eben. Überleben. Ich habe Ihnen doch das Gleichnis aus dem Talmud über die beiden in der Wüste erzählt…"

„Ja, überlebenswichtiges Trinkwasser nur für einen von beiden. Das klingt natürlich sehr vernünftig und logisch."

„Ich habe nicht den Eindruck, dass es Sie überzeugt hat."

„Sind Sie mir böse deshalb?"

Herškovic wusste, dass seine Argumente Ottla nicht überzeugten. Dennoch riet er ihr, sich pragmatisch zu verhalten – zum Nutzen der Heimkinder wie um ihrer selbst willen.

Ottla bat ihn, nicht mehr davon zu sprechen.

„Sagen Sie mir lieber, was aus diesen unglücklichen polnischen Kindern wird. Zwölfhundert Kinder, wohin mit ihnen, wo doch die Heime und die Kasernen voll sind."

Herškovic nickte. „Da seit einem halben Jahr keine Transporte mehr abgehen, nur immer neue kommen, ist in Theresienstadt wirklich kein Platz. Ich fürchte, dass wieder eine Epidemie ausbrechen wird. Bei so einem Gedränge lässt sich das kaum verhindern."

„Wenn wir noch mehr zusammenrücken, könnte ich in unserem Zimmer vielleicht noch fünf Jungen aufnehmen…" überlegte Ottla laut. „ Das ist so gut wie nichts, aber wir sind ja nicht das einzige Heim hier. Wir müssen ihnen irgendwie helfen."

„Diese Kinder sind schon in *Kreta*", unterbrach er sie. In diesen neuen Holzbaracken hinter den Schanzen."

„In *Kreta*? Ich weiß nicht einmal genau, wo das ist."

„Wenn Sie durch das Tor hinter der Magdeburger Kaserne gehen, ist nicht weit davon der Ort, der hier Kreta genannt wird. Ringsherum sind Felder und Gärten, wo die Mädchen aus der Landwirtschaft arbeiten."

„Es könnte ganz hübsch sein dort", meinte Ottla. „Vielleicht gefällt es ihnen da."

Der Doktor lächelte. „Diese Kinderbaracken sind mit Stacheldraht eingezäunt, als würden dort die gefährlichsten Verbrecher festgehalten. Sie haben ihnen andere Kleidung besorgt, vielleicht bekommen sie auch besseres Essen. Und unsere Ärzte sind bei ihnen. Die Deutschen scheinen ihretwegen Angst zu haben."

191

Zeichnung Leo Haas „Kreta"

„Wegen dem, was sie erlebt haben, was sie wissen? Was
wird jetzt aus ihnen? Das ist alles so merkwürdig. Bisher

sind aus dem Osten keinerlei Transporte hierher gekommen... und auf einmal zwölfhundert Kinder aus Polen."

Starker Regenguß. Stelle dich dem Regen entgegen, laß die eisernen Strahlen dich durchdringen, gleite in dem Wasser, das dich fortschwemmen will, aber bleibe doch, erwarte so aufrecht die plötzlich und endlos einströmende Sonne.

FRANZ KAFKA, TAGEBÜCHER, 27. 5. 1914[10]

Dritter Heiratsantrag

An einem Mittwoch, dem 25. August 1943, erschien Ottla wieder eine kaum wahrnehmbare Gestalt, aber sie wusste gleich, dass es ihr Engel war. Allein ihrer. Ein Engel, der sie verstand, vor dem sie keine Geheimnisse haben musste und dem sie auch Gedanken anvertrauen konnte, die sie Felix niemals verraten, geschweige denn ihren Töchtern geschrieben hätte.

Es war unnötig, die Augen zu öffnen. Die Augustnacht war dunkel, Wolken verdeckten den Mond und nichts von seinem kalten Schein drang in ihr Kämmerchen ein.

Ottla begann, mit dem Engel Zwiesprache zu halten. Sie vertraute ihm an, seit der Ankunft jenes beunruhigenden Transportes mit den polnischen Kindern zu ahnen, dass sich in ihrem Leben etwas verändern werde, auch wenn sie es nicht in Wort fassen könne. Sie hatte ein beklommenes Gefühl im Magen, empfand einen Druck im Innern, und am schlimmsten war die ständige Unruhe in ihrem Kopf. Sie machte sich zum Vorwurf, öfter an diese kleinen Polen zu denken als an die ihr anvertrauten Jungen, aber Gedanken lassen sich nun mal nichts vorschreiben, sie entspringen im Kopf wie eine Quelle aus einem Felsen.

„Du hast immer mehr an andere als an dich selbst gedacht", hörte sie die kaum wahrnehmbare Stimme, die Franz gehören mochte. „Erinnerst du dich", fuhr diese Stimme fort, „wie du einmal in der Nähe unseres Hauses einen Kutscher gesehen hast, der rabiat sein Pferd schlug, das offenbar am Ende seiner Kräfte war? Du hast ihn beschimpft, und als dies nichts nützte, bist du zum Telefon gelaufen und hast den Tierschutzverein angerufen, damit sie gegen ihn vorgehen. Oder auf dem Landgut in Zürau mit dieser feisten Katze, die sich in meinem Zimmer breit gemacht hatte…"

Ottla brach in Tränen aus und sagte: „Hör auf, Franz, diese Erinnerungen zerreißen mir das Herz, denn sofort sehe ich dich, wie du dich dort halbnackt gesonnt hast oder wie du nachts gepfiffen hast, um die Mäuse zu vertreiben, weil du wegen ihres Treibens nicht schlafen konntest… Auch tagsüber störte dich das *Geschrei der Arche Noah*, wie du scherzhaft gesagt hast. Und du bist schon nicht mehr unter uns. Wie sich alles verändert hat."

Sie glaubte, Franz flüstern zu hören: „Ich habe es immer als mein persönliches Unglück empfunden, dass ich – Verkörperung von Symbolen! – buchstäblich nicht genug Kraft in den Lungen habe, um die für die Welt bezeichnende Vielfalt zu entfachen, von der uns unsere Augen überzeugen. Jetzt kümmere ich mich nicht mehr darum, es ist aus meinem täglichen Plan herausgefallen, und ich leide nicht mehr besonders darunter."

Sie erinnerte sich, dass er das vor langer Zeit einem Freund geschrieben und sich auch ihr gegenüber einmal in diesem Sinne geäußert hatte. Aber sie kannte ihren Bruder am besten und wusste, dass er nicht alles, was er schrieb oder laut aussprach, auch wirklich dachte. „Ich spüre eine solche Kraft in den Lungen", flüsterte sie, „dass ich wahrscheinlich alle Brände der Welt auspusten könnte. Ich glaube, du kämest hier auf andere Gedanken, Brüderchen…"

Zwei Kinder, allein in der Wohnung, stiegen in einen großen Koffer, der Deckel fiel zu, sie konnten nicht öffnen und erstickten.

FRANZ KAFKA, TAGEBÜCHER, 6. 12. 1921[10]

Am Mittwoch, dem 1. September kam mittags Ervín Tauber wie ein Wassereinbruch ins Zimmer des Kinderheims gestürzt. Er war schweißgebadet, weil er vom Gebäude des Ältestenrates aus gerannt war. Er grüßte nicht einmal und sah sich nur hektisch um, aber Dita war nicht im Kinderzimmer. Die Jungen löffelten gerade still das Mittagessen aus ihren Schüsseln.

„Wo ist sie?" schrie er Ottla an, der sofort klar war, wen er suchte. Die Jungs mussten über seine weit aufgerissenen Augen lachen und schnitten Grimassen. Ervín ignorierte sie.

„Sie ist nur auf einen Sprung weg, gleich wird sie hier sein", sagte Ottla. „Was ist los? Brennt es etwa?"

„Ja, es brennt", stieß er hervor und wischte sich den Schweiß von der Stirn. „In der Magdeburger Kaserne hat die Verwaltungskommission begonnen, eine neue Liste zu erstellen."

„Also ist es so weit", seufzte Ottla und die Jungen, denen bewusst wurde, dass etwas passiert war, scharten sich um sie, obwohl sie ihre Schüsseln noch nicht leergegessen hatten.

„Es wird wieder Transporte geben", sagte Ervín. „Wo ist Dita, verdammt…"

Samuel Liebscher drang zu Ottla vor und stellte sich vor sie hin.

„Werde ich mitfahren können, Kapitän?"

Sie nahm seinen Kopf in ihre Hände und schüttelte ihn sanft. „Was denn, und mich würdest du hierlassen, Šmulik?"

Daran hatte er wohl nicht gedacht und fing an, zu schluchzen. Rafi schob ihn weg von der Betreuerin.

„Er ist meschugge", zischte er, „beachten Sie ihn nicht. Er weiß nicht, was er sagt."

Šmulik schnaufte und wischte sich eine Träne weg. „Bist selber meschugge!"

In diesem Moment kam Dita zurück.

„Was machst du hier? Ist etwas passiert?"

Ervín richtete sich jäh auf.

Ottla bot dem jungen Paar an, in ihr Kämmerchen zu gehen, wo sie für sich sein könnten. Aber Ervín sagte, sie solle dabei sein. Auf die Jungen könne Tauba Feigel aufpassen. Die Jungen protestierten, sie wollten auch wissen, was los ist.

„Das betrifft euch nicht", fertigte Ervín sie ab. „Macht euch keine Sorgen und futtert schön, ihr Knirpse."

Šmulik begann hemmungslos zu weinen. Feigel nahm ihn auf den Schoß und beruhigte ihn.

Ottla, Dita und Ervín gingen nach nebenan.

„Bis jetzt ist es geheim", sagte Ervín, „aber es wird bald im Tagesbefehl auftauchen. Es wird der größte Transport sein, der je von hier abgegangen ist."

Ottla faltete die Hände und sah Ervín an.

„Zehntausend Menschen", sagte Ervín.

„Zehntausend?" wiederholte Dita ungläubig.

„Zehntausend", sagte Ervín, „angeblich ein Arbeitseinsatztransport. Aber glaubt nicht, dass dies nur ein weiteres der hiesigen Gerüchte ist."

„Dann schreiben sie schon Namen?" stieß Dita mit zuge-
schnürter Kehle hervor. „Zehntausend, das bedeutet, jeder
Dritte oder Vierte wird fahren."

Ottla dachte an Felix Herškovic. Der würde ihr bestimmt
die genaue Zahl sagen, er wusste sicher, wie viele Menschen gerade in Theresienstadt waren. Ihr war die Gefahr
vollkommen bewusst, in der sie jetzt alle schwebten, und
sie war überrascht, keinerlei Beunruhigung oder Angst zu
empfinden, selbst auf dieser gehassten Liste „Weisung
zum Transport" zu erscheinen.

„Sie haben bereits über sechstausend Namen vermerkt",
sagte Ervín. „Es geht schnell."

Dita erblasste plötzlich, stürzte sich auf ihn und schüttelte
ihn an den Schultern. „Ich stehe darauf, nicht wahr? Du
bist gekommen, um mir zu sagen, dass ich auf der Liste
stehe! Gib es zu!"

Ervín setzte sie mit Gewalt neben sich auf Ottlas Bett.

„Beruhige dich. Ich lasse dich von der Liste streichen."

„Du also!" rief sie verzweifelt. „So ein Kerlchen."

„Ich weiß, an wen ich mich wenden muss. Keine Angst."

Er wandte sich an Ottla. „Sie helfen mir dabei. Dita ist
doch Betreuerin. Sie muss bleiben, vor allem weil Sie…"
Er stutzte, aber Ottla war klar, was er nicht auszusprechen
wagte.

„Ich stehe ebenfalls auf der Liste." sagte sie vollkommen
ruhig.

„Ich habe dort Ihren Namen gesehen", bestätigte Ervín
leise. Er sah sie nicht einmal an, hatte nur Augen für die
schluchzende Dita.

„Wenn sie fährt", sagte das Mädchen, „kann doch nicht auch ich fahren."

Ottla dachte nicht über ihr egoistisches Verhalten nach. Dita war sechzehn und wollte um jeden Preis überleben. Ihr Selbsterhaltungstrieb überwog alles andere.

„Nein, du wirst hierbleiben. Ervín", fragte Ottla den jungen Mann, „und meine Jungen?"

„Kinder und Alte stehen nicht auf der Liste. Jedenfalls bis jetzt. Es ist doch ein Arbeitstransport."

„Ja sicher", sagte Ottla. „Arbeitseinsatztransport."

Ervín drehte sich endlich zu ihr um. „Sie dürfen mit niemandem darüber sprechen, es wird noch einige Tage dauern, bis sie die Vorladungen verteilen. Jeder wird dann versuchen, von der Liste gestrichen zu werden, und es kommt zu dem üblichen Durcheinander. Ich werde versuchen, euch beide von der Liste zu kriegen, solange noch Zeit ist."

„Um mich musst du dich nicht kümmern", versicherte ihm Ottla.

„Ich will aber nicht in den Transport! Warum haben sie ausgerechnet mich eingetragen?"

Ottla strich ihr über die Haare. Sie musste keine Angst haben, Ervín würde sich um sie kümmern. Sie konnten doch nicht gleich zwei Betreuerinnen aus dem Heim wegschicken. Alles würde gut ausgehen.

***

Felix Herškovic war für den 1. September 1943 mit Ottla verabredet, sie wollten sich am Marktplatz treffen und dort und in den umliegenden Straßen spazierengehen. Ottla kam aber nicht zu dem verabredeten Ort. Der Doktor

199

wartete am Marktplatz fünfzehn Minuten und kam sich wie ein heranwachsender Junge vor, der in Panik ausbricht, weil ihm seine Angebetete einen Korb gibt. Nur war er kein Teenager, Ottla war nicht siebzehn und es ereignete sich nicht irgendwo in Prag, sondern im Ghetto Theresienstadt, wo alles Mögliche passieren konnte. Ein menschliches Schicksal konnte sich von einer Sekunde zur anderen von der Existenz zur Nicht-Existenz verwandeln.

Als Ottla auch noch einer halben Stunde noch nicht erschienen war, ging er zu ihrem Kinderheim. Er umrundete es und gelangte auf den Hof, wo die Jungen Fußball spielten.

Herškovic griff sich einen der älteren Jungen und bat ihn, nachzusehen, ob Ottla nicht in ihrem Kämmerchen sei.

Erst in den folgenden Minuten war er wirklich nervös, aber schließlich hörte er im Treppenhaus das vertraute Klappern ihrer Absätze, und kurz darauf stand sie vor ihm und machte ein Gesicht, als wisse sie nicht, was sie sagen sollte.

„Haben Sie mich vergessen?" fragte Felix lächelnd. Sein Lächeln sollte andeuten, dass er wegen ihrer Verspätung nicht böse war. „Ist Ihnen etwas dazwischengekommen... oder vielleicht", er räusperte sich, „wollen Sie mich nicht mehr sehen?"

Ottla hängte sich bei ihm ein und zog ihn durch den Ausgang auf die Straße.

„Sie haben nicht zufällig mit Ihrem Informanten gesprochen? Wissen Sie etwas über diesen neuen Transport?" fragte sie.

„Dazu bestand keine Gelegenheit, aber etwas wurde mir zugetragen. Transport Dl und Dm. Ich wüsste zu gern, was dieser zweite Buchstabe genau bedeutet. Die Deutschen haben darin bestimmt irgendein System. Die ersten Buchstaben sind in alphabetischer Reihenfolge, auch wenn die beiden ersten Transporte als O und P gekennzeichnet waren. Dann begann die Reihe A, ganz logisch: Aa, Ab – aber dann plötzlich Ag, Ap, Al... Die letzten Transporte von hier im Januar hatten die Bezeichnungen Cq bis Cu. Und jetzt auf einmal Dl."

„Warum denken Sie darüber nach? Ist es denn so wichtig, wie sie die Transporte bezeichnen?"

„Ich falle Ihnen auf die Nerven, nicht wahr?"

Ottla blieb stehen und sah ihm fest in die Augen.

„Ervín hatte Recht. Ich stehe auf der Liste."

Sie mutmaßte nicht, sondern konstatierte lediglich nüchtern eine allzu deutliche Ahnung.

Herškovic stieß überrascht einen Pfiff aus. „Das macht nichts", sagte er nach kurzem Schweigen. „Ich werde sie herausreklamieren."

„Sie haben es gewusst?"

„Nur, dass sie Listen erstellen. Ich werde tun, was in meinen Kräften steht."

„Das nützt nichts, Felix, wir entkommen unserem Schicksal nicht."

„Jetzt reden Sie wie Ihr Bruder."

Sie lächelte. „Ich bin seine Schwester."

„Nichts ist verloren. Mein *Protektor*, wie Sie ihn nennen..."

Sie unterbrach ihn. „Warum sollten Sie das tun? Heben Sie ihn sich auf, bis Sie ihn selbst brauchen. Sie haben doch beschlossen, bis zum Schluss hierzubleiben."

„Hut ab vor Ihrer Tapferkeit. Aber ich werde das nicht zulassen."

„Dita steht auch auf der Liste. Eine von uns muss hier bei den Kindern bleiben. Ervín hilft ihr. Es ist in Ordnung so. Sie ist jung und verliebt. Ich habe ihr versprochen, nichts zu unternehmen."

„Ihr Leben ist mir hundertmal wertvoller als diese egoistische Maus."

Ottla wies ihn zurecht. So dürfe er nicht sprechen, weder als Arzt geschweige denn als Mensch. Herškovic winkte ab. „Die Dinge liegen nicht so, dass entweder Dita oder Sie fahren müssen."

„Irgendjemand müsste aber an unserer Stelle fahren."

Herškovic fuhr sich verzweifelt durch die Haare. „Überlassen Sie das mir. Je weniger Sie darüber wissen, desto besser. Für uns beide."

„Warum sollten Sie sich meinetwegen engagieren?"

„Mein Gott, Ottla! Kommen Sie zu sich! Bleiben Sie am Boden."

„Ich denke, dass ich mich vollkommen sicher darauf bewege. Und schreien Sie mich bitte nicht an."

Sie hatten den Markplatz überquert und gingen schweigend auf die Schanzen zu. „Haben Sie denn nicht bemerkt, dass ich Sie gern habe?" fragte Felix und ging an ihrer Seite über das holprige Kopfsteinpflaster.

„Das ist edelmütig von Ihnen, aber ich brauche kein Mitleid", sagte Ottla.

„Oh", rief Herškovic, „was für ein Mitleid? Woher sollte bei einem alten Zyniker wie mir Mitleid kommen? So etwas kenne ich nicht. Sie haben mich falsch verstanden."

„Wirklich?"

„Mir ist nämlich etwas eingefallen", sagte er ernst, „was Sie nicht nur vor diesem Transport schützen würde, denn – machen wir uns keine Illusionen – es wird weitere geben. Sie würden bei Ihren Jungen bleiben, die Sie brauchen. Dieser Transport wird angeblich gar nicht so gewaltig, wie behauptet wurde. Halb so groß, fünftausend Menschen."

„Das ändert die Sache nicht, wenn ich auf der Liste stehe."

„Da haben Sie Recht, aber es gibt gewisse Möglichkeiten."

Ottla sagte nichts.

„Wenn wir heiraten… wenn Sie meine Frau werden, dann würden sie uns nicht trennen. Familien werden nicht auseinandergerissen."

„Ach so", hauchte Ottla, „oder sie nehmen uns beide."

„Keine Angst. Sie könnten diese Ehe als formal betrachten, wo doch… Hier in Theresienstadt werden viele Ehen geschlossen. Einige als reine Zweckehen. Der Rabbi…"

„Warten Sie", unterbrach sie ihn mit einem Lächeln. „Sie sind nicht der erste, der so einen Vorschlag gemacht hat."

Diese Antwort hatte Herškovic nicht erwartet. Ottla erklärte es ihm. „Als ich mich 1940 von meinem Mann getrennt habe, hat mir ein Arier auch die Ehe angeboten, um mich zu schützen."

„Ihr Mann war doch auch Arier", wand er ein.

„Das war so ein verrückter junger Kerl, ein Bekannter meiner älteren Tochter. Mit meinem Mann war das etwas anderes. Seine Stellung…"

„Haben Sie den jungen Mann abgewiesen?"

„Natürlich. Ich liebe meinen Mann doch noch immer."

Herškovic schüttelte den Kopf. Er konnte nicht glauben, was er gerade gehört hatte. Und falls sie Josef David wirklich liebte, wie sie behauptete, dann hätte sie sich nicht von ihm trennen sollen.

„Und mein Verehrer, Projsa… stellen Sie sich vor, lebt jetzt mit meiner Tochter zusammen. Vielleicht haben sie sogar geheiratet. Ich hätte nichts dagegen, auch wenn es Ihnen seltsam vorkommen mag. Erst hält er um meine Hand an, und dann um Věras."

„Und Ihre zweite Tochter wiederum will einen Juden heiraten, um mit ihm zu Ihnen nach Theresienstadt zu gelangen. Das haben Sie doch erzählt. Wissen Sie, Ihre Familie…" seufzte er.

Ottla beschleunigte ihre Schritte.

„Helena ist mein Dummerchen. Glücklicherweise ist sie davon abgekommen. Es hätte ja auch keinen Sinn, da ich von hier wegfahre."

„Sie geben mir also einen Korb? Es geht doch um Ihr Leben."

„Darum ging es damals auch."

„Ist das Ihr letztes Wort?"

„Ich hoffe, Sie verstehen das nicht so, dass ich nichts für Sie empfinden würde. Ich empfinde Hochachtung für Sie. Sie sind ein ehrenhafter Mann und ich verdiene vermutlich gar nicht, was Sie mir so edelmütig anbieten."

Felix Herškovic blieb stehen. „Sie sind eine bewundernswerte Frau. Ich werde alles tun, um sie aus dem Transport herauszubekommen. Auch wenn Sie mir einen Korb gegeben haben."

Eher ist es die Angst vor Veränderung, die Angst, die Aufmerksamkeit Gottes auf sich zu lenken, die meinen Verhältnissen nicht angemessen ist.

FRANZ KAFKA AN MAX BROD 5. 7. 1922[2]

In der Magdeburger Kaserne kam es vor der Abfahrt des Transportes zu apokalyptischen Szenen.

Es ging darum, wer die besseren Nerven hat und wer länger durchhält, schrieb Eva Roubíčková in ihr geheimes Tagebuch. *Zucker*[22] *verfolgte, wohin auch immer er ging, eine Schlange von sechs bis sieben Menschen, die gleichzeitig auf ihn einredeten und sich gegenseitig zu überschreien versuchten. Kaum hatte er jemanden zur einen Tür hinauskomplimentiert, kam er zur zweiten wieder herein. Dabei ist es so einfach, jemanden aus dem Transport herauszubekommen. Seine Karte wird aus der Transportkartei herausgenommen und in die Bestandskartei eingeordnet. Allerdings muss für ihn jemand aus der Reserve nachrücken. Auch gab es eine Menge Freiwillige, vor allem Kinder, die sich zu ihren Eltern meldeten. Gerade das Auseinanderreißen von Familien ist am schlimmsten. Es gibt fast keine Familie, die niemanden auf der Liste hätte, und jetzt nicht vor der Frage steht, ob man sich auch melden sollte. Aus der Landwirtschaft wurden schließlich alle herausreklamiert, die sich nicht freiwillig gemeldet hatten. Im letzten Augenblick änderte Lederer seine Meinung und auch Tonda und Vilda sind draußen. Gott sei Dank!*

Gestern Nachmittag wurde das Verbot erlassen, die Kasernen zu verlassen, aber es wurde nicht eingehalten. Wer

205

wollte, konnte hinausgehen. Es wurde jedoch gemunkelt, wer von Heindl draußen erwischt werde, gehe direkt in den Transport. Gestern kursierte eine Zeitlang das Gerücht, alles sei gestoppt worden. Die Menschen sind durch das ewige Hin und Her schon ganz verrückt.[23]

Die Transporte Dl und Dm mit fünftausendsieben Theresienstadter Häftlingen verließen das Ghetto am 6. September 1943. Ziel war das Konzentrationslager Auschwitz-Birkenau. Die Häftlinge erfuhren eine andere Behandlung als üblich. Sie wurden weder rasiert noch tätowiert, und die Familien wurden nicht getrennt. Das so genannte *Familienlager* wurde eingerichtet. Angeblich befanden sie sich sechs Monate lang in Quarantäne. Obwohl ihre Lebensbedingungen erkennbar besser waren als die der übrigen Häftlinge, starb in diesem halben Jahr ein Viertel, 1.140 Juden. Am 8. März 1944 wurde das verbliebene Theresienstadter Familienlager in den Gaskammern ermordet. In dieser Nacht wurden 3.792 Personen umgebracht, die Zeit der anderen Behandlung war vorüber. Nur siebzig Menschen überlebten, vor allem Ärzte, Krankenschwestern und Zwillinge, bestimmt für Mengeles barbarische Experimente.

… wenn nicht unzählige Möglichkeiten zur Befreiung existieren, besonders Möglichkeiten in jedem Augenblick unseres Lebens, dann existieren vielleicht gar keine. Aber ich lege das wirklich falsch aus. Da sich das Spiel unentwegt wiederholt, ist durch einen Fehler in einem Augenblick nur dieser Augenblick verloren, nicht alles. In diesem Fall müßte dies allerdings zum Ausdruck gebracht werden, schon aus pflegerischer Hinsicht.

FRANZ KAFKA AN MAX BROD, 1917[2]

Ottla und Dita blieben in Theresienstadt.

Kreta

Unterdessen waren die eintausendzweihundert Kinder aus Białystok bereits an dem Ort namens *Kreta* außerhalb der Festungsmauern in Baracken untergebracht worden. Alle, bei denen der Verdacht auf Infektionskrankheiten bestand, wurden von den Deutschen in die Kleine Festung gebracht und dort ermordet. Die Holzbaracken von Kreta waren mit Stacheldraht eingezäunt, um einen Kontakt ihrer Bewohner mit den Ghettohäftlingen zu verhindern. Rund fünfzig Betreuerinnen und Betreuer, Krankenschwestern und Ärzte, die ebenfalls von der Festungsstadt isoliert waren, kümmerten sich um die Kinder. Ausgewählt wurden jene, die in Theresienstadt keine Verwandten hatten. Aber dennoch gab es heimliche Kontakte. Das Essen wurde in großen Kochkisten nach Kreta geliefert, die dann leer in die Küchen Theresienstadts zurückgebracht wurden. In diesen Kochkisten wurden geheime Botschaften versteckt. Gelegentlich gelang es auch jemandem, der in nicht weit von Kreta gelegenen Gärten Gemüse für die SS anbaute, sich den Zäunen zu nähern und kurz mit einigen der Betreuer zu sprechen. Dem Erzieher Fredy Hirsch, einer Schlüsselfigur in der Betreuung der Theresienstadter Kinder, gelang es sogar, die Zäune zu überwinden, aber seine geheime Mission wurde verraten und er wurde von der Gestapo verhaftet, eingesperrt und zur Strafe in den Transport vom 6. September 1943 nach Auschwitz eingereiht. Auf sein Betreiben hin wurde dort im Familienlager ein Kinderblock eingerichtet, den er leitete.

Ottla erfuhr von Doktor Herškovic, bei dem die Nachrichten zusammenliefen, dass einige der Betreuer sich nicht gut gegenüber den Kindern verhielten, und sie als *polnische Schweine* beschimpften. Sie entschied, sich in dieser Situation nicht heraushalten zu dürfen. Sie meldete sich freiwillig als Betreuerin in Kreta und ihrem Gesuch wurde entsprochen. Sie tat dies hinter dem Rücken von Herš-kovic, denn sie wusste, dass er versuchen würde, es ihr auszureden. Es war nicht einfach für sie, ihr Kinderheim und seine relative Sicherheit aufzugeben. Die Verabschiedung von den Jungen war für alle herzzerreißend. Am schwersten nahm es der kleine Samuel Liebscher.

„Du hast mich nicht mehr gern", schluchzte er auf ihrem Schoß.

Immer wieder beteuerte sie, das sei nicht wahr.

„Sonst hättest du das nicht tun können."

„Ich komme bald zu euch zurück", sagte Ottla. „Sie brauchen mich jetzt mehr als ihr. Tauba und Dita bleiben doch bei euch."

„Das ist nicht gerecht, wenn du mit ihnen statt mit uns wegfährst. Wir sind doch schon auf die Reise vorbereitet."

„Ich weiß, dein Kompass…"

„Ich gebe ihn dir, damit du mich nicht vergisst", sagte Šmulik und holte ihn aus der Tasche.

„Das geht nicht", wand Ottla ein. „Ich kann damit nicht umgehen, bei dir ist er in besseren Händen. Du brauchst keine Angst zu haben, ich werde dich nicht vergessen. Sei nicht traurig, wir sehen uns bestimmt bald wieder. Ich komme bald zurück."

Vielleicht war ihr gar nicht bewusst, dass mit sehr ähnlichen Worten ihr Mann Věra und Helena getröstet hatte, als sie sich zu Hause auf den Transport vorbereitete.

Der Trost wäre nur: es geschieht, ob du willst oder nicht. Und was du willst, hilft nur unmerklich wenig. Mehr als Trost ist: Auch du hast Waffen.

FRANZ KAFKA, TAGEBÜCHER, 12. 6. 1923[10]

Was Ernährung und medizinische Behandlung betrifft, erhielten die polnischen Kinder in Kreta die bestmögliche Betreuung. Sie lag über dem üblichen Standard von Theresienstadt. Das Essen war kalorienreicher als die Mahlzeiten für die übrigen Häftlinge, aus der Landwirtschaft wurde Gemüse geliefert, das auf den Feldern in unmittelbarer Nähe und in den Gemüsegärten zwischen den Festungsmauern geerntet wurde, oft fand sich auch Fleisch auf den Tellern und es stand Milch zur Verfügung. Den polnischen Kindern ging es von Tag zu Tag besser, ihre Gesichter rundeten sich, die Rippen traten nicht mehr so stark hervor, die kahlgeschorenen Haare wuchsen nach. Und mit der Verbesserung ihres physischen und gesundheitlichen Zustands besserte sich auch ihre Stimmung. Sie waren nicht mehr so eingeschüchtert und verängstigt. Aus den großen Räumen der Holzbaracken in Kreta war immer öfter bei den Spielen Lachen und sorgloses Kindergeschrei zu vernehmen.

Es war auch Ottlas Verdienst, dass aus den wilden Tieren, die es bei der Ankunft nicht einmal gewagt hatten, die Duschen zu betreten, wieder normale Wesen wurden. Es waren drei Wochen vergangen, und alles schien auf gutem Weg. Weder Ottla noch die anderen Betreuer und Ärzte dachten allzu viel darüber nach, wann dies enden und was weiter mit ihnen geschehen würde, obwohl keiner von ihnen darüber im Zweifel war, dass dieser Zustand, der im Vergleich zu ihren vorherigen Lebensumständen im Ghetto als Idylle bezeichnet werden mochte, nicht ewig anhalten würde.

Natürlich wurde untereinander viel darüber spekuliert, welche Pläne die Deutschen mit den Kindern, ihren Betreuern und dem medizinischen Personal haben mochten. Man fragte sich, warum sie alle von den Theresienstädter Häftlingen isoliert wurden und keine Möglichkeit zum Kontakt mit ihnen hatten.

Von außen wurden ihnen auf geheimen Wegen die unterschiedlichsten Theorien zugetragen. Allen war bewusst, dass es sich bei den optimistischen Nachrichten um die üblichen, wenig vertrauenswürdige Gerüchte handeln konnte, die in Kreta und innerhalb der Festungsmauern zu kursieren pflegten. Einem unverbürgten Bericht zufolge, der von den Deutschen selbst verbreitet wurde, sollten die Kinder in der Schweiz durch das Rote Kreuz gegen deutsche Kriegsgefangene ausgetauscht werden. Eine andere Version sprach von einer Reise nach Schweden oder in das britische Mandatsgebiet Palästina, wodurch die Deutschen der Welt hätten zeigen wollen, wie sie sich um die Juden kümmerten, und so die Gerüchte über unmenschliche Behandlungen widerlegen würden. Es wurde diskutiert, ob mit den Polen alle fünfzig Betreuer Theresienstadt verlassen würden, oder nur eine Auswahl oder sogar niemand von ihnen. Aber sie alle wussten, wie gefährlich es ist, sich an irgendeine konkrete Hoffnung auf Rettung zu klammern. Jeder Tag war wichtig, jede Stunde, die sie hinter den Mauern des Elends von Theresienstadt verbringen konnten.

Für Ottla waren diese paar in Kreta zugebrachten Wochen auch deshalb außergewöhnlich, weil es ihr mit Hilfe eines tschechischen Gendarms gelungen war, heimlich öfter mit ihren Töchtern Věra und Helena in Kontakt treten zu können. Der Gendarm, dessen Namen sie nicht einmal kannte, schaffte ihre Briefe heraus und warf sie in Hrobce, einem der umliegenden Dörfer bei Roudnice, in einen Briefkasten, einige Male übergab er ihre Nachrichten sogar persönlich in Prag den Töchtern. Als Věra ihm Schokolade oder Zigaretten anbot, lehnte er ab. Er war mit einem bestrichenen Brötchen zufrieden.

Gegen sechs Uhr abends tauchte plötzlich Šmulik in Kreta auf. Auf seinem Gesicht schimmerten verschmierte Tränen. Ottla zog ihn rasch an einen Ort, wo er durch Büsche von außen nicht zu sehen war.

„Bist du verrückt? Was machst du hier?"

„Ich will mit dir fahren."

„Das geht nicht", sagte sie, ihre Rührung unterdrückend. „Wie bist du hierhergekommen?"

„Ich habe mich unter dem Zaun durchgegraben. Niemand weiß von mir. Wir können zusammen fahren."

Was konnte sie ihm sagen? Sie drückte ihn fest an sich und streichelte seinen Kopf.

„Du musst bei den Jungen bleiben. Du bist doch mein Vertreter. Schiffsjunge und Navigator."

„Da gefällt es mir nicht mehr. Hier", er zog den Kompass aus der Tasche, „du hast gesagt, du kannst nicht damit umgehen, also zeige ich es dir. Schau…"

Sie entnahm seiner Hand den Kompass und steckte ihn ihm zurück in die Tasche.

„Ich bin schon zu alt, um das zu lernen. Du und die Jungs werden ihn mehr brauchen, wenn ihr auf die Reise geht."

Der kleine Kerl wischte sich mit dem Ärmel die Augen.

„Glaubst du?"

„Ich weiß es", versicherte ihm Ottla. „Und jetzt zeig mir das Loch im Zaun, ich gebe dir Deckung, wenn du zurückkrabbelst. Richte allen aus, dass ich sie sehr gern habe und mich darauf freue, wenn wir uns wiedersehen."

Ottlas Entscheidung

In Briefen schilderte Ottla ihre neue Situation in rosaroten Farben, damit ihre Mädchen sich keine Sorgen um sie machten. Alles war wunderbar, sie war viel an der frischen Luft, in der Sonne, das Team der Ärzte und Betreuer war prima, lauter kluge Menschen, unter denen sie viele Freunde gefunden hatte. Auch die polnischen Kinder waren zufrieden. Sie hatten mit ihnen nicht viel Arbeit, kümmerten sich hauptsächlich darum, dass sie sauber waren. Sie versprach Věra und Helena, so bald wie möglich nach Hause zu kommen, aber zunächst erwarte sie noch ein schöner Ausflug.

Morgen früh fahre ich mit den Kindern weg, aber nicht nach Polen, sondern voraussichtlich in die Schweiz oder nach Schweden. Wir haben blendende Laune, noch niemand hat sich zum Schlafen hingelegt, wir haben gepackt. Vielleicht fahren wir sogar durch Prag! Ich werde aber nicht traurig sein, es erwarten uns schöne Tage.

Rosch ha-Schana, das jüdische Neujahr 5704, fiel auf Mittwoch, den 29. September 1943. In Kreta herrschte Feiertagsstimmung. Am Abend versammelten sich die Betreuer, die Ärzte und das übrige Personal in dem größten zur Verfügung stehenden Raum. Ottla hatte mit Kolleginnen etwas zu essen vorbereitet. Dem fiel zum größten Teil das Paket mit Nahrungsmitteln zum Opfer, das ihr die Töchter geschickt hatten. Die Atmosphäre war heiter und voller freudiger Erwartung. Auch die Kinder hatten das neue Jahr gefeiert, sie wünschten sich gegenseitig ein „schana tova u´metuka" (ein gutes und süßes Jahr), nach dem Gebet erhielten sie ein Stück Apfel mit Honig. Es wurde zwar nicht traditionell auf dem Schofar, dem Widderhorn, geblasen, denn in Kreta stand nichts Derartiges zur Verfügung, aber immerhin hatte einer der Ärzte ein Flügelhorn. Wenigstens an diesem Abend ließ niemand

Befürchtungen zu. Sie wussten, dass ihr Aufenthalt in Theresienstadt sich dem Ende zuneigte. Schon bald würden sie alle gehen. Das neue Jahr 5704 begann so schön.

Der Mensch fürchtet sich vor Freiheit und Verantwortung. Deshalb schmort er lieber hinter Gittern, die er selbst errichtet hat.

FRANZ KAFKA, GUSTAV JANOUCH,
GESPRÄCHE MIT KAFKA[27]

Es war Abend und Ottla legte sich eine Weile auf ihre mittlere Pritsche in dem großen Raum, wo sie mit anderen Betreuerinnen übernachtete.

Sie las einen Brief von Věra, den ihr ein tschechischer Wachmann an diesem Tag unauffällig zugesteckt hatte. Věra schrieb, wie raffiniert sie mit ihrer Schwester am Bahnhof Schmuggelware an Polizisten vorbeibrachte, die verhindern sollten, dass wider strenges Verbot Lebensmittel nach Prag geschmuggelt wurden. Sie riskieren so viel für mich, dachte Ottla, damit sie mir hierher Pakete schicken können... Wenn sie nur vorsichtig genug sind, sagte sie sich im Geiste, und auch etwas für sich behalten. Sorgen machte sie sich vor allem um Věra. Die hatte immer sehr viel Mut und hätte irgendeine Dummheit begehen können.

Auf einmal tauchte in der Gasse zwischen den Stockbetten eine fremde Gestalt auf. Franz kommt so früh, schoss es ihr durch den Kopf, aber es war weder der Bruder noch der Engel, sondern eine Kollegin, die auf der Pritsche über ihr schlief.

„Am Zaun wartet irgendein Mann auf dich. Ich habe ihm gesagt, er soll sich wenigstens hinhocken oder hinter einem Busch verstecken, damit er nicht entdeckt wird. Er will mit dir sprechen. Du solltest ihm sagen, dass er nicht soviel riskieren darf. Das ist für uns alle gefährlich."

213

Ottla sprang schnell aus dem Bett, versicherte sich, dass ihr Kleid nicht zu zerknittert war, brachte ihre Haare mit den Händen ein wenig in Ordnung und verließ die Baracke. Das konnte niemand anderes als Doktor Felix Herškovic sein. Sie hatte ihn nicht mehr gesehen, seit sie nach Kreta umgezogen war. Sie brauchte eine Weile, bis sie entdeckte, wo er sich versteckt hielt.

Es war die Stelle, wo Šmulik sich eingeschlichen hatte. Sofort fiel ihr ein, er könne dem Doktor von seinem Ausflug berichtet haben. Glücklicherweise war niemand in der Nähe.

„Ottla", rief er halblaut aus, „Sie sind vollkommen verrückt geworden. Nachdem Sie dem letzten Transport entkommen sind, melden Sie sich gleich freiwillig zum nächsten. Denken Sie, es war ein Spaß für mich, diesen Deutschen anzuflehen, Sie von der Liste streichen zu lassen? Und Sie springen gleich in die gleiche Scheiße – ich kann das nicht anders sagen!"

„Felix", sie lächelte ihn an und stand so nahe wie möglich am Zaun, „Sie sind doch nicht zu mir gekommen, um mir Vorwürfe zu machen. Wenigstens kann ich Ihnen ein glückliches und süßes neues Jahr wünschen."

„Lassen Sie das. Sie verhalten sich vollkommen verantwortungslos. Dickköpfig wie immer. Ihre Jungs im Heim…"

„Šmulik war gestern hier bei mir. Vielleicht konnte ich ihm alles erklären."

„Was gibt es denn da zu erklären? Wie konnten sie ihnen das antun? Das ist, als würden Sie Ihre eigenen Kinder verlassen."

„Die habe ich auch verlassen. Um sie zu retten", sagte Ottla ernst.

214

„Diese Jungs retten Sie damit aber nicht."

„Nein, aber ich bin bei Kindern, die meine Hilfe noch mehr brauchen."

„Hören Sie, Ottla", sagte Felix eindringlich und streckte zwei Finger durch den Zaun. Ottla ergriff sie und drückte sie sanft. „Angeblich fahrt ihr schon bald."

„Das sagt man, aber hier kursieren viele Gerüchte", erwiderte sie vage. „Ich weiß es nicht. Die Kinder werden wohl fahren, aber was wird mit uns?"

„Ich sollt alle fahren", fuhr der Doktor fort. „Das ist sicher. In ein oder zwei Tagen…"

Ottla senkte den Kopf.

„Sie fahren, und das wissen Sie genau, wollen es mir gegenüber nur nicht zugeben."

Sie hob scheinbar gleichgültig die Schultern. „Warum sollte ich das tun?"

„Damit Sie ohne Abschied verschwinden können."

Sie fuhr sich mit der Hand durch die Haare. „Wenn ich Sie nicht hätte sehen wollen, wäre ich nicht hierher gekommen. Mir war klar, dass Sie mich hier erwarten."

„Dann sind Sie gekommen, um sich zu verabschieden?"

„Nein, vorläufig fahre ich nirgendwohin."

Herškovic atmete tief durch. „Wir können immer noch etwas tun."

„Ich verstehe nicht, was Sie meinen, Felix."

„Ich kann Ihnen eine Injektion verabreichen und Sie werden vierzig Grad Fieber bekommen. Ich habe alles Nötige bei mir. In einem solchen Zustand kann man Sie in keinen

Transport einreihen. Sie wären nicht die Erste, der ich auf diese Weise helfe. Es wird Ihnen einige Tage lang miserabel gehen, aber Sie überstehen das. Hier in der Krankenstation."

„Sie verstehen mich nicht. Ich möchte es tun", sagte sie leise.

„Sie haben nichts begriffen", wütend hob er die Stimme. „Sie sind den Deutschen auf den Leim gegangen. Leider verstehe ich es – das sind ganz Sie." Er sah sie scharf an. „Das ist eine schicksalshafte Tat von Ihnen. Sie melden sich freiwillig zu diesen Armen."

„Sie würden sie heute nicht wiedererkennen. Sie sind wie normale Kinder."

Er winkte ab. „Dann muss man ja keine Angst mehr um sie haben. Besonders wenn sie nach Schweden oder in irgendein Paradies gebracht werden sollen."

„Ich bete, dass dies so sein wird."

„Sie haben also Zweifel an diesem Austausch gegen deutsche Kriegsgefangene. Gott sei Dank, wenigstens da haben Sie sich Ihren gesunden Menschenverstand bewahrt."

„Kann hier nicht alles Mögliche geschehen?"

„Aber ja", gab er zu. „Wie ist jetzt die Version über ihr Ziel? Ein Schweizer Sanatorium am Genfer See oder eine Pension in den Alpen, umgeben von grasenden Kühen? Palästina, wohin Juden doch gehören, damit sie im pangermanischen Europa nicht stören? Gegen wie viele deutsche Soldaten werden sie ausgetauscht? Wie wird der Kurs sein? Hundert Juden für einen Übermenschen?"

„Kann uns das nicht egal sein?"

„Dann tun Sie das also, um Ihre eigene Haut zu retten."

„Da kennen Sie mich schlecht", entgegnete sie erregt, fügte dann aber hinzu: „Das ist das Einzige, was mich quält. Dass meine Jungs nicht denken, ich hätte das getan, um hier herauszukommen und mein Leben zu retten. Grüßen Sie sie von mir, wenn Sie mit ihnen sprechen. Sagen Sie ihnen, dass ich sie so gern habe wie meine eigenen Kinder. Im Geist werde ich immer bei ihnen sein. Vergessen Sie auch nicht, sie das wissen zu lassen?"

„Entschuldigen Sie, ich weiß, dass Sie nicht an sich selbst denken. Wenn ich mir sicher wäre, dass Sie sich mit Ihrer Entscheidung retten, würde ich keinen Muckser machen."

„Ich tue es nicht für mich."

Felix wusste, dass Ottlas Entscheidung gefallen war, aber er gab trotzdem noch nicht auf.

„Betrachten Sie es rational. Nehmen wir an, die Kinder sollen wirklich gegen irgendwelche Kriegsgefangene ausgetauscht werden. Viel Logik hätte das nicht, zumal…"

„Hier hat nichts Logik", erinnerte sie ihn an seine eigenen Worte. „Nicht einmal die Nummern der Transporte."

„Denken Sie vernünftig, Ottla", sagte Felix eindringlich. „Warum sollten sie gerade diese polnischen Kinder gegen Kriegsgefangene austauschen? Sie haben gesehen, wie die Nazis in Białystok ihre Eltern ermordet haben, sie wissen von den Gaskammern, haben erlebt, wie die Deutschen mit Juden umgehen. Sie haben sie hier hermetisch außerhalb der Ghettomauern von den anderen getrennt, damit niemand mit ihnen in Kontakt kam und etwas von ihnen wusste. Sie sind selbst hier in der Einsamkeit isoliert. Und gerade diese Kinder sollten die Deutschen über die Grenzen schicken? Warum nehmen sie sich nicht deinen Šmulik und seine unschuldige Bande, die sich auf einen Ausflug auf eine geheimnisvolle Insel freuen? Hier sind Tausende von Kindern."

„Hören Sie auf, so zu reden, Felix."

„Und dann Sie und sämtliches Personal, das jetzt bei ihnen ist. Es ist eine Falle. Draußen brauchen sie eure Dienste doch nicht mehr. Wegen der zwei oder drei Tage, die ihr mit ihnen im Zug verbringen werdet, wollen Sie Ihr Leben riskieren?"

„Vielleicht bringen sie uns dann zurück nach Theresienstadt", warf Ottla wenig überzeugend ein.

„Es ist immer noch möglich, sich zurückzuziehen."

Ottla schüttelte den Kopf. „Sie sagen das, weil Sie mich gern haben. Vielleicht haben Sie auch das Angebot einer Heirat ernst gemeint."

„Sie denken also, dass ich aus egoistischen Gründen handle? Damit ich Sie hier nur für mich habe?"

„Schreien Sie mich nicht an, Felix."

„Mein Gott", rief er verzweifelt, „ich möchte Sie nicht verlieren, aber in dem, was ich sage, spielen Gefühle keine Rolle."

„Ich muss fahren", sagte Ottla, „auch wenn es eine Fahrt in den Tod sein sollte. Glauben Sie mir", fügte sie nachdenklich hinzu, „seit dem Augenblick, als ich mich freiwillig gemeldet habe, fühle mich wie ein Mensch. Als käme ich aus einer reinigenden Mikwe."

Theresienstadter Transportliste der Begleiter der Kinder aus Białystok nach Auschwitz. Ottla David hat Nummer 6.

Nach der Rückkehr aus dem befreiten Theresienstadt nach Prag hatte es Felix Herškovic von der Foch-Straße, wo er zur Untermiete bei einem Kollegen wohnte, nicht weit zur Korunní-Straße, wo Ottlas jungvermählte ältere Tochter Věra mit ihrem Mann Karel Projsa lebte. Seit Ende Mai, als Felix Věra am Wilson-Bahnhof kennengelernt hatte, kam er abends gelegentlich vorbei, um Neuigkeiten auszutauschen. Věra bat ihn vor allem, von ihrer Mutter zu erzählen. Anfang Juni hatten sie wenigstens noch die hypothetische Hoffnung, Ottla könnte zurückkehren. Mit den Nachrichten über die Vernichtungslager im Osten wurde die Hoffnung von Tag zu Tag schwächer. Zu diesem Zeitpunkt wussten sie bereits, wie die Menschen aus den September-Transporten Dl und Dm, die nach Auschwitz-Birkenau gefahren waren, ums Leben gekommen waren. Nach einem halben Jahr erfolgte die „Sonderbehandlung" – in der Nacht vom 8. auf den 9. März 1944 wurden sie ohne Selektion ermordet.

Diesem Transport war Ottla zwar entkommen, aber das Schicksal der 1.200 Kinder aus Białystok und ihrer fünfzigköpfigen Begleitung, die in der ersten Oktoberwoche 1943 aus Theresienstadt deportiert worden waren, blieb ungeklärt. Niemand war bislang zurückgekehrt und über ihren Verbleib war nichts bekannt.

„Als ich Ottla am Zaun von Kreta zuletzt gesehen habe", erinnerte sich Herškovic, „hat sie mir versprochen, zu schreiben, aber ich müsse Geduld haben, das könne lange dauern."

Věra bot ihm eine Zigarette an, er zündete sie sich an und sie rauchten eine Zeitlang schweigend.

„Als sie in die Baracke zurückging, sagte sie: Geh mit Gott, Felix. Ich habe gesagt: Auf Wiedersehen. Sie hat dann ein wenig den Kopf geschüttelt, als zweifle sie daran, dass es dazu kommen würde. Seit diesem Sonntag im Oktober 1943 habe ich von ihr keinerlei Nachricht erhalten."

Věra musste nicht erwähnen, dass auch sie und ihre Schwester keinen Brief mehr bekommen hatten. Auch der mutige tschechische Gendarm, die einzige Verbindung zwischen der Mutter und den Töchtern, hatte sich nie wieder gemeldet.

... kurz, es ist eine in sich geschlossene Welt, in der man Bürger ist, und so wie man im allgemeinen auch aus der Erdenwelt, wenn man eingebürgert ist, erst loskommt, wenn einen der Engel holt, so auch hier. Also im nächsten Frühjahr?

FRANZ KAFKA AN OTTLA, 21. 5. 1921[1]

Frauen und Kinder vor dem Tod in der Gaskammer, Auschwitz-Album

Postskriptum

Die Wahrheit über das Schicksal Ottla Davids und der Kinder aus Białystok haben wir viel später erfahren. Der Transport hatte nicht das neutrale Schweden oder die Schweiz zum Ziel, auch nicht Palästina, sondern wie die vorangegangenen das Vernichtungslager Auschwitz-Birkenau. Alle wurden dort unmittelbar nach der Ankunft in den Gaskammern ermordet.

Es geschah am 7. Oktober 1943, am Vorabend des höchsten jüdischen Feiertags Jom Kippur. An diesem Tag wurde nach Elli und Valli auch Franz Kafkas dritte Schwester Ottla ermordet, zusammen mit 1.196 jüdischen Kindern aus Białystok.

Einem Zeugen zufolge beteten die Kinder vor dem Gang in die Gaskammern mit ihrer Begleitung *Schema Jisrael*. Da wussten schon alle, was sie erwartete. Es ist möglich, dass jemand aus dem Sonderkommando den erwachsenen Begleitern der Kinder den Rat gab, nach dem Betreten der Gaskammern laut zu singen. So gelange das Gas rasch in die Lungen und sie hätten nicht so lange zu leiden.

Im letzten Moment vor dem Gang in die Gaskammer sah Ottla über den rauchenden Schornsteinen einen Engel kreisen.

Höre Jisrael, der Ewige ist unser G-tt, der Ewige ist einzig.

Gelobt sei der Name der Herrlichkeit Seines Reiches für immer und ewig. Du sollst den Ewigen, deinen G-tt, lieben mit deinem ganzen Herzen, deiner ganzen Seele und deiner ganzen Kraft. Diese Worte, die Ich dir heute befehle, seien in deinem Herzen, schärfe sie deinen Kindern ein und sprich davon, wenn du in deinem Haus sitzest, und

*wenn du auf dem Weg gehst, wenn du dich niederlegst,
und wenn du aufstehst.*[33]

Während des Zweiten Weltkriegs wurden alle drei Schwestern Franz Kafkas ermordet. Ottlas Töchter Věra und Helena überlebten dank ihrer Mutter. Josef David verlor nach dem Krieg seine Stelle, seine Ersparnisse, und starb als verarmter Rentner. Věra ließ sich nach der Befreiung von Karel Projsa scheiden und heiratete Erich Saudek, mit dem sie vier Söhne und eine Tochter hatte. Sie starb am 3. August 2015 im Alter von 94 Jahren in Prag. Ihre Schwester Helena studierte Medizin, heiratete Zdeněk Kostrouch und brachte zwei Kinder zur Welt. In zweiter Ehe führte sie den Namen Rumpolt. Sie arbeitete als beliebte Ärztin in Kašperské horý (Bergreichenstein). Sie starb mit 81 Jahren am 5. November 2005 in Prag.

Doktor Felix Herškovic und weitere im Verlauf der Handlung in Theresienstadt vorkommende Personen sind zwar rein fiktiv, die geschilderte Ghetto-Realität jedoch entspricht den Tatsachen.

Die Gestalt eines Engels hat Ottla in ihren Briefen an die Töchter erwähnt.

Einige Daten und Fakten

Es gibt über Ottilie (Ottla) Davids mehr als einjährigen Aufenthalt in Theresienstadt leider nicht viele Informationen, auch keine Zeugnisse Überlebender. Nur einige Daten und Fakten. Sie wurde am 3. August 1942 mit dem Transport Aaw aus Prag nach Theresienstadt deportiert, ihre Transportnummer war 643.

Ein Jahr später, am 24. August 1943, traf in Theresienstadt der Transport mit mehr als zwölfhundert polnischen jüdischen Kindern aus dem Ghetto Białystok ein, wo die Deutschen brutal einen Aufstand niedergeworfen hatten. Viele von ihnen waren Zeugen der Ermordung ihrer Eltern geworden. Die Kinder kamen in einem erbärmlichen Zustand an. Als sie nach der Ankunft unter die Duschen gehen sollten, wehrten sie sich verzweifelt, denn sie nahmen an, sie würden vergast. Die Deutschen brachten sie in eingezäunten Baracken an einem *Kreta* genannten Ort außerhalb des Ghettos unter. Ottla meldete sich freiwillig zu ihnen als Betreuerin. Das Kinderlager in Kreta war stacheldrahtumzäunt und die Kinder sowie ihre dreiundfünfzig Betreuer und Ärzte waren von den anderen Theresienstadter Häftlingen vollkommen isoliert. Dennoch drangen durch herausgeschmuggelte Kassiber oder zufällig Gespräche am Zaun lückenhafte Nachrichten nach außen.

Ottla schickte aus Kreta heimlich einige Briefe und Kassiber an ihre Töchter Věra und Helena, in denen sie ihnen üblicherweise alles aus optimistischster Perspektive schilderte.

„Meine lieben Mädchen, jetzt lebe ich sehr gut... Ich bin in einer Sommerwohnung, die Umgebung ist hübsch, Felder und Bäume. Ich wohne im zweiten Stock – nämlich was die Betten betrifft – unter und über mir wohnen nur

kleine fleißige Mäuschen... Wenn ich zurückkomme, werde ich mein Zimmer im hiesigen Stil einrichten... "[9]

Sie führt auch an, was ihnen die Deutschen versprachen, dass alle Kinder mit Begleitung in die neutrale Schweiz oder nach Schweden fahren würden. Die polnischen Kinder im Kinderlager Kreta in Theresienstadt erhielten tatsächlich außergewöhnliche Pflege, so dass sie sich schnell erholten. Ihnen und jenen, die sich um sie kümmerten, wurde mitgeteilt, sie würden im Rahmen einer Austauschvereinbarung ins Ausland geschickt. Wiederholt wurde Palästina erwähnt, (auch wenn Ottla in ihren Kassibern nichts darüber schreibt). Die Ärzte und Betreuer mussten eine Erklärung unterschreiben, die sie zum Schweigen über die Bedingungen in Theresienstadt verpflichtete.

Sechs Wochen später aber wurden am 5. Oktober 1943 in Theresienstadt frühmorgens die Transporte unter der Doppel-Bezeichnung Dn/a mit 53 Begleitern einschließlich Ottla David und Dn/b mit 1.196 Kindern aus Białystok abgefertigt. Der Transport führte direkt ins Konzentrationslager Auschwitz-Birkenau, wo alle sofort in den Gaskammern ermordet wurden. Nach einem späteren Zeugnis eines Mitglieds des Sonderkommandos, das bei den Gaskammern eingesetzt war, wurden die Leichen nicht im Krematorium verbrannt, sondern auf einem nahen Feld. Dieses Ereignis war für alle, die davon wussten, eine enorme psychische Belastung.

Die Umstände dieser Tragödie sind bislang nicht zuverlässig aufgeklärt. Beabsichtigten die Deutschen tatsächlich, die Kinder gegen Kriegsgefangene auszutauschen oder ihren Abtransport in ein neutrales Land zu irgendeinem propagandistischen Zweck zu nutzen oder um Lösegeld zu erpressen? Und warum kam es nicht dazu?

Diesem Thema widmete sich die aus Kolín gebürtige Hana Lustig Greenfield, die im Juni 1942 ins Theresienstadter Ghetto transportiert wurde, von wo aus sie zunächst in das Konzentrationslager Auschwitz und dann nach Bergen-Belsen deportiert wurde. Ihre Mutter Marie Lustig war eine der Betreuerinnen der Kinder aus Białystok und wurde wie diese, Ottla David und die weiteren Mitglieder der Begleitung in den Gaskammern ermordet.

In dem Buch *Fragments of Memory*, in tschechischer Übersetzung *Z Kolína do Jeruzaléma: střípky vzpomínek (Von Kolín nach Jerusalem, Erinnerungssplitter)*, fasst Greenfield[29] im Kapitel *Nachforschungen zum Todestag meiner Mutter* unter anderem die Ergebnisse der Forschungen zu der Tragödie des Theresienstadter Transports mit den Kindern aus Białystok zusammen. Sie schreibt:

Andrej Steiner zufolge, einem Ingenieur, der für die jüdische Untergrundbewegung in Bratislawa verhandelte, sollte für die Kinder ein Lösegeld gezahlt werden. Steiner war in Kontakt mit dem örtlichen deutschen Beauftragten für jüdische Angelegenheiten, SS-Hauptsturmführer Dieter Wisliceny[24]. Nach Steiners Aussage, die ich im Institut YIVO (Institute for Jewish Research) in New York gefunden habe, handelte Wisliceny mit Wissen seines Vorgesetzten Adolf Eichmann.

„Ich habe Wisliceny vorgeschlagen, zu helfen, die jüdischen Kinder aus Polen zu retten. Zunächst antwortete er ablehnend... Ich drängte weiter, bis er versprach, die Angelegenheit seinem Vorgesetzten Eichmann zur Beurteilung vorzulegen. Nach einigen Wochen teilte er mir mit, die Transaktion sei grundsätzlich möglich, unter der Voraussetzung, dass wir einen erheblichen Betrag in Dollar bezahlen und bestimmte Waren aus der Slowakei nach Deutschland liefern würden." Steiner gibt an, er habe versprochen, alle Forderungen zu erfüllen, sofern die 1.000 jüdischen Kinder über die Schweiz nach Palästina gebracht würden, denn er glaubte, dass Glaubensgenossen

aus Übersee die geforderte Summe zur Verfügung stellen würden.

„Unsere Enttäuschung war nicht in Worte zu fassen, als wir vom amerikanischen JOINT und anderen jüdischen Organisationen die Antwort erhielten... sie könnten aus patriotischen Gründen den Austauschplan nicht mit einem bedeutenden Betrag in Dollar unterstützen, da dies einer direkten Hilfe für den Feind gleichkomme." *Steiner behauptet, er habe die Deutschen nicht über die Absage informiert, sondern beschlossen, auf Zeit zu spielen, in der Hoffnung, das Geld noch irgendwie aufzutreiben. Er verlangte einen Nachweis, dass die deutsche Seite die Übereinkunft einhalten werde und erreichte die Vereinbarung: Nach der Ankunft der Kinder in Theresienstadt sollten die Deutschen eine Anzahlung erhalten und der Rest würde gezahlt, sobald die Kinder in der Schweiz eintreffen. Steiner berichtet weiter: „Eines Tages informierte mich Wisliceny, die Kinder seien in Theresienstadt angekommen und verlangte die erste Zahlung... Unglücklicherweise überwog bei unseren ausländischen Partnern unter dem Einfluss der amerikanischen Regierung der ‚Sinn für Korrektheit' und sie lehnten es ab, die Dollars zu zahlen."*

Greenfield führt weiter aus, SS-Hauptsturmführer Wisliceny habe allerdings während des Nürnberger Prozesses in einer eigenhändigen, fünfseitigen Erklärung vom 15. Juli 1946 die Aufhebung der Vereinbarung auf eine Intervention Mohammed Amin Al-Husseinis, des Großmuftis von Jerusalem, der als Gast der Deutschen in Berlin lebte, bei Reichsführer SS Heinrich Himmler zurückgeführt. Wisliceny schreibt, Eichmann habe ihn nach Berlin bestellt, wo „er mir mitteilte, der Mufti habe durch seinen Geheimdienst in Palästina von der Angelegenheit erfahren und dagegen bei Himmler Protest eingelegt. Als Grund habe der Mufti angeführt, diese jüdischen Kinder wären in ein paar Jahren Erwachsene und würden dann die jüdische

Kommunität in Palästina verstärken. Eichmann zufolge habe Himmler sofort die ganze Aktion abgesagt und sogar pauschal einen Befehl erteilt, in dem er jegliche ähnliche Verhandlungen untersagte, damit kein Jude sein Leben retten und nach Palästina gelangen könne. "

Greenfield stellt anschließend noch eine weitere Version vor. Jüngsten Forschungen zufolge forderte die Gestapo zur Zeit der gewaltsamen Liquidierung des Ghettos Białystok den Vorsitzenden des dortigen Ältestenrates Efraim Barasz auf, zwölfhundert Kinder im Alter von sechs bis zwölf Jahren auszuwählen, die angeblich nach Palästina gebracht werden sollte, das zu dieser Zeit unter britischem Mandat stand. Entgegen den ursprünglichen Anweisungen wurden dann in diese Auswahl auch ältere Kinder einbezogen. Der Transport endete jedoch nach drei Tagen – mit einem Zwischenhalt in Auschwitz – in Theresienstadt.

Sechzehn jüdische Pflegerinnen begleiteten die polnischen Kinder aus Białystok. Hadasa Sprung-Levkowitz hat darüber Zeugnis abgelegt:

Vor der abschließenden Aktion mussten wir auf Befehl der deutschen Behörden eintausendzweihundert Kinder zum Transport zur Verfügung stellen. Ich habe sie aus Waisenhäusern und anderen Orten ausgewählt und fünfzehn Pflegerinnen und ich sind mit ihnen gefahren. (...) Wir erhielten für die Reise vom Judenrat Päckchen mit Brot. Ich habe den Kindern gesagt: Wenn der Zug nach Norden fährt, springt hinaus und versucht, zu fliehen. Wenn er Richtung Westen fährt, bleibt ihr. Der Zug fuhr nach Westen. Während der Fahrt habe ich den deutschen Wachen für warmes Wasser Geld und Wertsachen gegeben. Der Zug kam in Theresienstadt an und die Kinder gingen ins Ghetto. Die Deutschen lehnten es aber ab, ein kleines Mädchen aufzunehmen und so blieb sie bei mir. Uns Erwachsene schickten sie zurück in den Zug, damals sagte mir jemand, wir führen nach Auschwitz. (...) In Auschwitz habe ich im Büro gearbeitet und hatte die Möglichkeit, die Listen der im Konzentrationslager ankommenden Personen einzusehen. Eines Tages kam ein Transport mit „unseren Kindern." [25]

Bronka Klibanski, Heldin des jüdischen Widerstands in Białystok und nach dem Krieg israelische Historikerin aus dem Jerusalemer Archiv der Holocaust-Gedenkstätte Yad Vashem, schreibt in ihrer Studie *Die Kinder aus dem Ghetto Białystok in Theresienstadt*[26]:

Belege über Verhandlungen zur Rettung der Kinder bis zu ihrer Ermordung umfassen einen Zeitraum von mehr als einem Jahr (von April 1943 bis Mai 1944) und enthüllen ein verbrecherisches Kapitel der deutschen Diplomatie, die versucht hat, die Welt zu täuschen, Engländer und Araber anzuschwärzen und den Antisemitismus zu propagieren.

Tatsächlich hat die Welt sehr wenig unternommen, um die Juden zu retten. Wo es doch Versuche zu ihrer Rettung gab, ist es den Deutschen stets gelungen, diese Aktionen zu vereiteln. So war es auch, als die Briten versuchten, fünftausend jüdische Kinder zu retten. (Im Februar 1943 setzte England die deutschen Sicherheitsorgane über das schweizer Hauptamt von seiner Absicht in Kenntnis, 5.000 Kinder aufzunehmen und nach Palästina zu bringen.) Die Frage bleibt indes, ob die Briten die jüdischen Kinder wirklich retten wollten und ob sie die wahren Absichten der Deutschen durchschauten.

Haben sie wirklich naiv an die „Regeln" dieses Spiels geglaubt? Oder wollten sie etwa durch ihre Teilnahme an diesen Verhandlungen für die Nachkriegszeit die Reputation von Rettern und Humanisten erlangen? Aus den Reaktionen der englischen Diplomatie dürften die Deutschen den Schluss gezogen haben, dass diese die Frage eines

Austauschs von jüdischen Kindern nicht wirklich interessierte und es deshalb unnötig sei, sich ernsthaft mit den britischen Vorschlägen zu beschäftigen. Und schließlich bestehen berechtigte Zweifel, ob traditionelle diplomatische Verhandlungen überhaupt geeignet waren, die Deutschen an der Ermordung der Juden zu hindern. Bis heute gibt es keine endgültigen Antworten auf unsere Fragen.

Neben den Briten brachte auch Rumänien Interesse zum Ausdruck, jüdische Kinder zu retten und bat die Deutschen um Erlaubnis, 70.000 Kinder nach Palästina zu bringen. Erhaltenen Dokumenten zufolge bezog das Reichssicherheitshauptamt dazu jedoch im Mai 1943 Stellung und führte aus:

1. Eine Aussiedlung jüdischer Kinder muss grundsätzlich ausgeschlossen werden;

2. Eine Ausreise von 5.000 jüdischen Kindern aus besetzten östlichen Gebieten kann nur im Austausch gegen im Ausland internierte Deutsche bewilligt werden, und zwar im Verhältnis 4:1; die Genehmigung zur Rückkehr ins Reich sollten also insgesamt 20.000 Deutsche erhalten. Dabei ist allerdings zu berücksichtigen, dass es nicht um 20.000 ältere, sondern um Deutsche unter 40 Jahren gehen muss, die noch fortpflanzungsfähig sind. Im Übrigen müssten Verhandlungen rasch geführt werden, denn es nähert sich der Moment, wo eine Umsiedlung von 5.000 jüdischen Kindern aus östlichen Gebieten als Ergebnis der Umsetzung unserer die Juden betreffenden Maßnahmen technisch nicht mehr durchführbar ist.[26]

Aus Archivmaterialien geht hervor, dass die Deutschen zu keinem Zeitpunkt an der Rettung jüdischer Kinder interessiert waren und auch einen Austausch ablehnten. Den Engländern unterbreiteten sie immer neue inakzeptable Bedingungen.

Solange Verhandlungen geführt wurden, hielten die Deutschen in Theresienstadt die zwölfhundert Kinder aus Białystok in Bereitschaft. Als sie gescheitert waren, wurden sie mit ihrer Begleitung erbarmungslos ermordet. Für das Scheitern der Verhandlungen machten die Nazis England verantwortlich.

Das gleiche Schicksal traf auch jene Kinder aus Białystok, die krank waren, nach der Ankunft in Theresienstadt von den anderen getrennt und in strenger Isolation im Sokol-Gebäude untergebracht wurden. In einer nach dem Krieg dokumentierten Zeugenaussage, die sich in der Sammlung des Jüdischen Museums in Prag befindet, heißt es:

Das Sokol-Gebäude, in dem kranke Kinder isoliert worden waren, wurde nach dem Transport wieder für Zwecke der Krankenpflege geöffnet. Wir hatten angenommen, dort kranke Kinder vorzufinden. Aber das Gebäude war vollkommen leer. Eine Erklärung gaben uns Mithäftlinge, die im Krematorium beschäftigt waren und berichteten, dass am Tag der Abfahrt des Kindertransportes aus Theresienstadt mehrere große, verschlossene Kisten zur Einäscherung gebracht worden seien, aus denen Blut tropfte. Bergl überwachte persönlich, dass die Kisten in den Öfen verbrannt und nicht geöffnet wurden, und wartete, bis die verbliebene Asche in der Nähe des Krematoriums verstreut wurde. Die erkrankten Kinder waren nämlich von SS-Männern in der Kleinen Festung ermordet worden.

Vielleicht wird sich irgendwann durch die Arbeit in Archiven eine befriedigende Antwort finden, welche Absichten die Deutschen tatsächlich mit den Kindern aus Białystok verfolgten, und warum ihr Plan schließlich nicht durchgeführt wurde.

Die Gesamtzahl der Häftlinge, die das Ghetto Theresienstadt von November 1941 bis Kriegsende durchlaufen haben, wird einschließlich der Białystok-Kinder und der

Evakuationstransporte auf 156.500 beziffert, von denen etwa 74.000 tschechische Juden waren. In Theresienstadt starben 35.000 Menschen einschließlich 400 Kindern an den Folgen von Krankheiten, Stress und vollkommen ungenügenden Lebensbedingungen. Im Verlauf von drei Jahren verließen 63 Transporte mit 87.000 Menschen Theresienstadt in Richtung Osten. Von ihnen überlebten nur 3.800 den Krieg.

Biografische Daten

1891, 1. September, wird Josef David geboren, Ottlas künftiger Ehemann

1892, 29. Oktober, kommt Ottilie (Ottla) Kafka auf die Welt

1916 mietet sie mit ihrem Bruder ein Häuschen im Goldenen Gässchen

April 1917–1918, Ottla arbeitet im Landgut Zürau der Eltern ihres Schwagers Karl Hermann, Franz ist dort von September 1917 bis April 1918 mit Unterbrechungen acht Monate bei ihr

Jahreswende 1918–1919, Ottla absolviert einen Kurs in der Landwirtschaftsschule in Friedland

1920, 15. Juli, Hochzeit mit Josef David

1921, 27. März, wird Věra geboren, Ottlas erste Tochter

1922, Ende Juni, Ottla mit Věra in der Sommerwohnung in Planá nad Lužnicí, Franz ist mit ihnen dort

1923, 10. Mai, wird Helena, Ottlas zweite Tochter geboren

1923, August und September, Ottla mit Franz in Želízy

1924, Mai, Ottla besucht mit ihrem Onkel Siegfried Löwy und Max Brod den schwerkranken Franz in Kierling bei Klosterneuburg

1924, 3. Juni, stirbt Franz Kafka

1931, 6. Juni, stirbt in Prag Hermann Kafka

1931, 11. Juni, Beisetzung Franz Kafkas auf dem Neuen Jüdischen Friedhof in Prag

1934 stirbt Julie Kafka

1940, 24. Februar, Trennung von Josef David

1942, 3. August, Ottla wird ins Ghetto Theresienstadt deportiert

1943, 5. Oktober, wird Ottla ins Vernichtungslager Auschwitz-Birkenau deportiert, wo sie nach der Ankunft am 7. Oktober in der Gaskammer ermordet wird

2005, 5. November, stirbt Helena, Ottlas jüngere Tochter

2015, 3. August, stirbt Věra, Ottlas ältere Tochter

Quellen und Anmerkungen

Anmerkung des Übersetzers

Passagen aus Kafkas Schriften, seiner Korrespondenz und andere in der tschechischen Ausgabe dieses Buches ins Tschechische übersetzte Zitate (etwa das Protokoll der Wannsee-Konferenz) wurden nur in wenigen Ausnahmefällen – wenn es lediglich um ein oder zwei Sätze ging und der Aufwand zur Beschaffung der Originalquelle unangemessen gewesen wäre – ins Deutsche zurückübersetzt. In der Regel wurde aus den deutschsprachigen Originaltexten zitiert.

1 KAFKA, Franz. *Briefe an Ottla und die Familie.* Frankfurt a. M.: Fischer, 1974.

2 BROD, Max und KAFKA, Franz. *Přátelství. Korespondence.* Übersetzung Hana Žantovská. Prag: Nakladatelství Hynek, 1998.

3 BENEŠOVÁ, Hana. *Zemřela Věra Saudková, neteř a nejspíše poslední pamětnice Franze Kafky.* (Věra Saudková gestorben, die Nichte und wohl letzte Zeitzeugin Franz Kafkas) In: Reflex, 2014, 23/2014. [zit. 8. 8. 2017] Zugänglich über: http://www.reflex.cz/clanek/-zpravy/65608/zemrela-vera-saudkova-neter-a-nejspise-posledni-pametnice-franzekafky.html.

4 BALAJKA, Petr. *Rozhovor s Věrou Saudkovou* (Interview mit Věra Saudková) [private Tonaufzeichnung]. Prag, 2015.

5 KAFKA, Franz. *Briefe an Felice.* Frankfurt a. M.: Fischer, 1983.

6 ŠVARCOVÁ, Veronika, 2017. *Láskyplná Ottla* (Liebreiche Ottla) [online]. [zit. 8. 8. 2017] Zugänglich

über: http://www.webmagazin.cz/index.php?stype=all&-id=14325.

7 LORENCOVÁ, Anna. *Rozhovor s Věrou Saudkovou* (Interview mit Věra Saudková) [Tonaufzeichnung]. Oral-History-Archiv des Jüdischen Museums in Prag, 29. 9. 1996.

8 URZIDIL, Johannes. *To byl Kafka* (Das war Kafka). Übersetzung Jana Zoubková. Prag: Dokořán, 2010.

9 *Poslední tajně odeslaný dopis Ottly Davidové z Terezína krátce před odjezdem do Auschwitzu* (Der letzte heimlich aus Theresienstadt verschickte Brief Ottla Davids kurz vor der Deportation nach Auschwitz). Archiv Anna Třeštíková. In: FRANKL, Michal et al. *Naši nebo cizí? Velké a malé dějiny.* (Unsere oder Fremde? Große und kleine Geschichte.) Prag: Jüdisches Museum in Prag und Institut der Theresienstadter Initiative, 2013.

10 KAFKA, Franz. *Tagebücher 1910–1923.* Frankfurt a. M.: Fischer, 1983.

11 KAFKA, František. *Osud Kafkových dcer.* (Das Schicksal der Kafka-Töchter.) In: Věstník ŽNO, 1965, 5/XXVII.

12 DAVID, Josef. *Rozum do hrsti!* Z proslovu k zaměstnancům kanceláře Ússp. 12. 6. 1942. (*Nehmen wir unsere fünf Sinne zusammen!* Aus der Ansprache an die Angestellten des Büros des Zentralverbandes der Privatversicherer in Böhmen und Mähren.) In: Pojistný obzor. (Versicherungsrundschau) Jahrgang XXI, Nr. 246.

Andererseits führt Tomáš Jelínek in seinem Buch *Pojišťovny ve službách hákového kříže* (Versicherungen im Dienst des Hakenkreuzes), Karolinum, 2015, aus: „František Fuchs schreibt in seinen Nachkriegserinnerun-gen an die Widerstandsbewegung in der Prager Jüdischen

Gemeinde zur Zeit der Okkupation, dass mit der nach und nach vollzogenen Deportation der meisten Juden ins Ghetto Theresienstadt die Aktivitäten im Widerstand mehr auf Juden in Mischehen oder nichtjüdische Freunde überging. Gegen Kriegsende richteten sich die Bemühungen des Widerstands auf die Sicherung schriftlicher Dokumente, die im Zusammenhang mit der Verschleppung der Juden standen.

Das Material wurde bei Familien versteckt, in Grabmälern auf dem Alten Jüdischen Friedhof und mit Hilfe des damaligen Sekretärs des Versicherungsverbandes. Das Gebäude, in dem die Akten aufbewahrt wurden, brannte zwar während des Prager Aufstandes ab, diese wichtigen Dokumente aber wurden durch einen mutigen Bediensteten des Verbandes gerettet. Josef David war Generalsekretär des Verbandes und über die gesamte Zeit für die Büroleitung des Ússp verantwortlich. Es ist mithin davon auszugehen, dass er an der Rettung der Dokumente beteiligt war."

13 ČERMÁK, Josef. *Zmařená příležitost.* (Eine verpasste Gelegenheit.) Literární noviny. Nr. 47. 48/1991. [zit. 8. 8. 2017] Zugänglich über: http://www.iliteratura.cz/Clanek/-13851/kafka-zmarena-prilezitost-cast-2.

14 BALAJKA, Petr. *Rozhovor s Františkem Miškou.* (Interview mit František Miška.) Obecní noviny ŽOP, 2016, Nr. 7, 8.

15 *Protokol z konference ve Wannsee* [online]. [zit. 7. 9. 2019] Zugänglich über https://www.ghwk.de/fileadmin/-user_upload/pdf-wannsee/dokumente/protokoll-januar1942_barrierefrei.pdf

16 KASPEROVÁ, Dana. *Výchova a vzdělávání židovských dětí v protektorátu a v ghettu Terezín.* (Erziehung und Bildung jüdischer Kinder im Protektorat

und im Ghetto Theresienstadt.) Prag: Philosophische Fakultät der Karlsuniversität, 2011.

17 HOŠKOVÁ, Helga. *Deník 1938–1945*. (Tagebuch 1938–1945.) Prag: Nakladatelství Jota, 2012.

18 VIDLÁKOVÁ, Michaela. *Terezínští vychovatelé*. (Theresienstadter Erzieher.) In: Terezínská iniciativa, Nr. 19, 2001.

19 DAVID, Ottla. *Dopis z Terezína dcerám*. (Brief aus Theresienstadt an die Töchter.) Archiv Anna Třeštíkovás und des Jüdischen Museums in Prag. Undatiert.

20 FRIEDMANN Pavel. Gedicht *Der Schmetterling*, das er am 4. Juni 1942 im Ghetto geschrieben hat.

21 KAFKA, Franz. *Tagebücher*. In: BROD, Max. Franz Kafka, *Lebenslauf*. Übersetzung Josef Čermák a Vladimír Kafka. Prag: Odeon, 1966.

22 Ing. Otto Zucker, Mitglied des Ältestenrates, Stellvertreter J. Edelsteins. 28. September 1944 deportiert nach Auschwitz, wo angeblich unter seiner Leitung ein Arbeitslager gebaut werden sollte. Er wurde unmittelbar nach der Ankunft in der Gaskammer ermordet. (Anm. Verf.)

23 ROUBÍČKOVÁ, Eva. *Terezínský deník 1941–1945*. (Theresienstadter Tagebuch 1941–1945.) Prag: Nakladatelství P3K, 2008.

24 Dieter Wisliceny war Mitglied der SA, SS und des SD, Angestellter des Reichssicherheitshauptamtes und später des Referats für jüdische Angelegenheiten, einer Stelle, die ab 1934 an der Erfassung und nachfolgenden Ermordung der jüdischen Bevölkerung beteiligt war – zunächst in Deutschland, später in Böhmen und Mähren, der Slowakei, in Griechenland und Ungarn. Er wurde am 27. Februar 1948 vom Gericht in Bratislawa der Mitwir-

kung an der Deportation von fast 60.000 Juden aus slowakischem Gebiet für schuldig gesprochen und zum Tod durch Erhängen verurteilt.

25 *The International School for Holocaust Studies.* [online] [cit. 8. 8. 2017] Zugänglich über: http://www.yadvashem.org/yv/en/education/languages/pol ish/initiatives/anna_appendix2.asp

26 KLIBANSKI, Bronka. *Děti z ghetta Bialystok v Terezíně.* (Die Kinder aus dem Ghetto Białystok in Theresienstadt) In: Terezínské studie a dokumenty. Prag: Academia, 1996.

27 JANOUCH, Gustav. *Hovory s Kafkou.* Übersetzung Eva Kolářová. Prag: Torst, 2009.

28 KAFKA, Franz. *Briefe an Milena.* Frankfurt a. M.: Fischer, 2015.

29 LUSTIGOVÁ GREENFIELDOVÁ, Hana. *Z Kolína do Jeruzaléma: střípky vzpomínek.* (Aus Kolín nach Jerusalem.) Übersetzung Eva Kondrysová. Izrael: Gefen Publishing House Ltd, 1992.

31 Norbert Fried, später Frýd, erwähnt in dem Buch *Lahvová pošta* (Flaschenpost), er habe diesen Vortrag über Kafka veranstaltet.

32 Denní rozkazy Rady starších a Sdělení židovské samosprávy Terezín 1941–1945. (Tagesbefehle des Ältestenrats und Mitteilungen der jüdischen Selbstverwaltung in Theresienstadt 1941–1945). Institut Terezínské iniciativy / nakladatelství Sefer, Acta Theresiania, sv. 1. Prag 2003.

33 https://de.chabad.org/library/howto/wizard_cdo/aid/-834753/jewish/bersetzung.htm

Weitere verwendete Quellen

STACH, Reiner. *Franz Kafka / Rané roky.* (Frühe Jahre.) Übersetzung Vratislav Slezák. Prag: Argo, 2016.

STACH, Reiner. *Franz Kafka / Roky rozhodování.* (Jahre der Entscheidung.) Übersetzung Michael Půček. Prag: Argo, 2017.

NEJDLOVÁ, Romana. *Amšel, syn Herrmanna Kafky.* (Amshel, Sohn von Herrmann Kafka.) Prag: Galén, 2013.

Nachbemerkung

Věra Saudková, Ottlas Tochter, war uns seit Gründung der Franz-Kafka-Gesellschaft eng verbunden, zeitweise auch Ausschussmitglied.

Wer hätte berufener sein können? Die Nichte Franz Kafkas, Lektorin und Übersetzerin. Eine starke, aufrichtige Frau, die Falschheit und Dummheit verabscheute.

Besuche bei ihr waren Feste der Vitalität, der Stärke und des Humors. Sie hatte kein einfaches Leben. Sie mied das Rampenlicht, und so bildete sich ein Netzwerk von Antragstellern für Interviews und Besuche, die sie konsequent ablehnte. Erst in späteren Jahren war sie in dieser Hinsicht offener. Einer von jenen, die um ein Gespräch baten, war Petr Balajka.

Er hat ein wunderbares Interview mit ihr geführt und publiziert, eines der letzten. Věra starb am 3. August 2015. Aufgrund seines Artikels fragte ich ihn, ob er nicht ein Buch über Věra schreiben wolle. Schade, dass ich nicht früher auf diesen Gedanken gekommen bin. Petr arbeitete zu dieser Zeit aber an einem Hörspiel über Ottla, und so bot er ein Buch über ihr Leben an. Schließlich einigten wir uns darauf, beide Themen zugleich in Angriff zu nehmen, zwei außergewöhnlichen Frauen zu Ehren. Es war ein glückliches, aber auch trauriges Zusammenspiel von Zufällen.

Das Hörspiel über Ottla sendete am 24. März 2016 Radio Vltava (Moldau), auf das Buch mussten wir noch etwas warten…

Markéta Mališová

Franz-Kafka-Gesellschaft, Prag

Der Autor und der Übersetzer

Der Autor **Petr Balajka** (geb. 1958 in Prag) studierte Polonistik und Bohemistik an der Prager Karls-Universität und ist Chefredakteur der von der jüdischen Gemeinde Prag herausgegebenen „Obecní noviny" (Gemeindezeitung). Im Fokus seiner journalistischen Arbeit stehen immer wieder die Holocaust-Überlebenden. Er war lange als Lektor in Verlagen tätig, ist passionierter Fotograf und hat zahlreiche Hörspiele, Gesellschafts- und Kriminalromane, hauptsächlich aus dem Milieu der Prager jüdischen Community, publiziert.

Der Übersetzer **Werner Imhof** (geb. 1960 in Wiesbaden) studierte Geschichte und Literaturwissenschaft (Examensthema: Franz Kafka) und lebt seit über 24 Jahren in Tschechien. Er hat rund 700 Zeitzeugengespräche, vor allem mit tschechischen Holocaust-Überlebenden, organisiert und begleitet, drei ihrer Autobiografien übersetzt und 2018 die Lebensgeschichte der Prager Theresienstadt- und Auschwitz-Überlebenden Lisa Miková in Buchform veröffentlicht. Seit 15 Jahren ist er zudem Gedenkstättenführer in Theresienstadt.

Abbildungsverzeichnis

S. 192 Leo Haas: Baráky pro děti z Bialystoku (Baracken für die Kinder aus Białystok), Terezín, 1942 – 1944; Památník Terezín, PT 1629, © David Haas, Daniel Haas, Ronny Haas, Michal Haas Foell
S. 221 Jüdisches Museum, Prag